Helen Coae

MARIE DE SÉVIGNÉ

After the painting by Henri Beaubrun

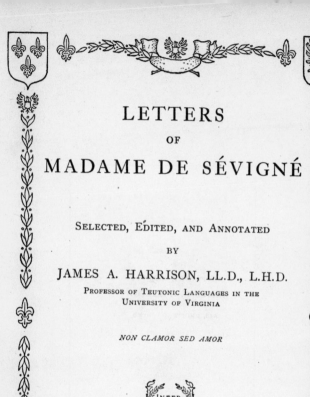

# LETTERS

OF

# MADAME DE SÉVIGNÉ

Selected, Edited, and Annotated

BY

## JAMES A. HARRISON, LL.D., L.H.D.

Professor of Teutonic Languages in the
University of Virginia

*NON CLAMOR SED AMOR*

INTER-
NATIONAL
MODERN
LANGUAGE
SERIES

## GINN & COMPANY

BOSTON · NEW YORK · CHICAGO · LONDON

The Athenæum Press

GINN & COMPANY · PRO-
PRIETORS · BOSTON · U.S.A.

# PREFACE.

———◦◦———

THE period embraced in these selections from Mme de
Sévigné's vast correspondence runs from 1654 to 1696 —
nearly fifty years of one of the most thrilling centuries in the
history of France. About sixty letters out of nearly 1500 have
been selected and annotated by the present editor, with a view
to introducing intelligent readers to what Lamartine truly
calls "the epistolary history of the reign of Louis XIV." The
facile pen of the incomparable Sévigné covers the most important years of this remarkable reign, and covers them in so com-
plete, graceful, and graphic a way that one hardly needs Saint-
Simon or Voltaire to fill up the gaps. A woman has thus done
for the "Sun King" what no man has been able to do — illu-
minated his reign adequately, recorded his victories, lightened
the darkness of the social life of the period, filled almost every
day and date with animated detail, and thrown an infinite charm
and glamour over the court. Mme de Sévigné actually saw the
beginning of French literature as we generally view it, for, born
in 1626, she was nine years old when the French Academy was
founded, and ten when *Le Cid* was performed ; and she was
twelve years older than the king himself.

When she died at the end of the century, in 1696, full of
years and honors, all the celebrated works of the 17th century
had come and gone — Corneille's marvellous tragedies, Molière's
marvellous comedies, the rich eloquence of Racine, the oratory

of Bossuet, the satire of Boileau, the exquisite fable work of
La Fontaine, Pascal and his sublime Pensées, La Rochefoucauld, La Bruyère, Fénelon, Massillon, Vauvenargues ; what a
list !

Mme de Sévigné might well close her eyes in the old château
of Grignan and consider that the end of the world had come —
certainly the end of *her* world, for only two years before her
death Voltaire was born, and with him a new and strange century — the 18th century — as utterly unlike the 17th as Voltaire
is absolutely unlike Corneille, whom he ridicules.

It is this wonderful century that we have glimpses of in the
sixty letters selected here, and they reveal to us very realistic
pictures of many of the great writers referred to.   Many of the
letters regarded as most classical have been edited anew for
this little collection, and along with them others equally graphic
and amusing.   The text of the edition is that of the monu-
mental *Grands Écrivains*, edited by MM. Mesnard and
Monmerqué, in 14 vols., 8vo, for Hachette & Co., under the
general superintendence of M. Regnier.   The orthography of
this edition has been scrupulously followed.   A few omissions
in individual letters, called for by the more exacting taste of
this age, or because the bits omitted were of no importance,
have been made.

The abundant biographical notes are derived from the editions of Mesnard, Monmerqué, Aimé-Martin, and Masson, and
from the cyclopædias.   It was not the plan of the series to go
into grammatical and syntactical details, but explanations of 17th
century usage are occasionally given, and for these Littré and
the two-volume Lexicon of *Sévignéan* idiom, attached to the
Mesnard-Monmerqué edition, have been used.   G. Saintsbury
has supplied a few literary notes, and an appreciation of Mme
de Sévigné as a writer.

For the sketch of Mme de Sévigné herself the charming
biography by M. Gaston Boissier (in the *Grands Écrivains*

*Français* series, Hachette & Co.) and the exhaustive work of
M. Mesnard have been used. English readers may supplement
these works by Miss Thackeray's and Mrs. Trench's apprecia-
tions of the celebrated writer whose letters are but a part of
that huge "Trésor Épistolaire de la France," which Crépet and
others are exhuming from forgotten libraries to tell their wonderful tale of social and literary France in the 17th and 18th
centuries.

The student interested in the subject is left to compare these
letters with those of Cicero or Lady Mary, Cowper or Horace
Walpole, Voltaire or Lord Byron ; and still there will be something to say in favor of Mme de Sévigné.

As Lamartine says: "C'est le tableau de famille du XVII<sup>e</sup>
siècle, retrouvé sous la poussière du château de Grignan pour
la dernière postérité."

In the printing of this work the editor has received invaluable
aid from the late Professor Alphonse van Daell of the Massa-
chusetts Institute of Technology.

UNIVERSITY OF VIRGINIA,
    February, 1899.

# CONTENTS.

[1] The numbers are those of the Grands Écrivains edition.

# BIOGRAPHICAL NOTICES.

---

## I. MME DE SÉVIGNÉ.

MARIE DE RABUTIN-CHANTAL, perhaps the most brilliant letter-writer of any age, was born in Paris in February, 1626. Her family was one of the great families of Burgundy, and she was left an orphan at the early age of seven.   In 1644 she married the Marquis de Sévigné, a Breton nobleman, with whom her married life was not happy.   He was killed in a duel in 1651. Two children were the fruit of this marriage, a son, who was a brave soldier and a man of wit, and a daughter, who became the well-known Mme de Grignan, to whom the incomparable letters were addressed.   The Comte de Grignan was lieutenant-general of Provence ; the Grignans took up their habitation there ; and it was to that point that the eloquent mother addressed the letters which have thrown so much light upon the social and political sides of Louis XIV.'s reign.   Nearly 1500 of these letters, either written by or addressed to Mme de Sévigné, have been preserved and form a picture-gallery of unparalleled vividness of the chief personages and incidents of the reign.   Her principal residences were the Hôtel Carnavalet at Paris, Livry (a few leagues from Paris), the château of Les Rochers (about 300 miles from Paris) in Brittany, and her daughter's home in Provence, where she died of small-pox in 1696.

The editor has selected such letters from her voluminous correspondence as appeared to be most interesting and to throw most light on the social, literary, and political figures and problems of the day. In annotating these selections, grammatical and philological points have been largely eschewed, it having been deemed more important for the purposes of this book to fix attention upon the men and women the letters describe so picturesquely than upon the language they speak. Due stress, however, has been laid upon certain differences between 17th and 19th century French wherever it has seemed necessary, for a clear understanding of the text, to emphasize these differences.

The author owes many obligations for explanatory notes to the editions or observations of MM. Mesnard, Masson, Aimé-Martin, de Monmerqué, Perrin, Vauxcelles, Boissier, Grouvelle, Saint-Germain, and Walckenaer. "Sur Mme de Sévigné et son monde, sur ses amis et connaissances, et les amis de ses amis," remarks Sainte-Beuve, reviewing M. Walckenaer, "grâce aux recherches infatigables de son curieux biographe, on aura tout désormais, et plus que tout."

## II. MME DE GRIGNAN.

Mme de Sévigné's only daughter, to whom a multitude of her letters were addressed, was born in 1648 and died in 1705, it is said of grief at having lost her only son of small-pox the year before. Her life was passed between Grignan, in Provence, her husband's residence, and Paris ; and her cold, philosophical nature, early imbued with the Cartesian philosophy of 'reason,' contrasts strangely in the correspondence with the passionate, excitable, poetic, and rhetorical temperament of her mother. Her education, like her mother's, was most solid and varied. Latin, Italian, physics, metaphysics formed the foundation of it, and she inherited her mother's gift of fluent and noble letter-writing. Mme de La Fayette said of her : " Elle serait parfaite si elle n'était trop sensible." Malicious critics have without foundation maintained that she gave to Molière a hint for his famous *Femmes Savantes*. Most of her letters have unfortunately perished.

# MME DE SÉVIGNÉ.

[From G. Saintsbury's *Short History of French Literature*, 5th ed., p. 320.]

THE most famous and remarkable of all the letter-writers of the time — perhaps the most famous and remarkable of all letter-writers in literature — was Marie de Rabutin-Chantal, Marquise de Sévigné. She was born in Paris on the 6th of February, 1626, and died at Grignan, of small-pox, on the 17th of April, 1696. Her family was a distinguished one, both in war and other ways. Her grand-mother was the well-known Sainte Chantal, the pupil of St. François de Sales, and her first cousin, as has been mentioned, was Bussy-Rabutin. Her father and mother both died when she was very young, and an uncle, not more than twenty years older than herself, the Abbé de Coulanges, took charge of her, remaining, for the greater part of her life, her chief friend and counsellor. She soon became a great beauty, and something of a scholar, though not of a blue-stock-ing. Ménage and Chapelain had, among others, much to do with her education, and she was a member of the celebrated coterie of the Hôtel Rambouillet, though her satirical humour saved her from being a *précieuse*. At the age of eighteen she married the Marquis de Sévigné, of a good and wealthy Breton family. Her husband was, however, a selfish profligate, who wasted her substance with Ninon de l'Enclos, and such-like persons, — though Ninon herself, to do her justice, never plundered her lovers, — and did not pretend the slightest return for the affection she gave him. He was killed in a duel in 1651, leaving her with two children, a daughter, Françoise Marguerite, and a son, Charles. After a few years of seclusion she returned to the world, being then in the full possession of her beauty, and only twenty-eight years old. She continued for more than forty years to form part of the best society of the capital, without suffering the least stain on her reputation. The selfish vanity of the superintendent Foucquet made him keep certain of her letters; but though they were discovered in a casket which was fatal to many of his friends of both sexes, Madame de Sévigné came scathless out of the ordeal. In 1669 her daughter, then twenty-two years old, married the Count de Grignan, a Provençal gentleman of the noblest birth, of great estate, rank, and fortune, but already twice a widower, past middle age, plain, and of somewhat embarrassed means, considering the great expenses which, as Governor of Provence, he had to meet. He was, however, a man of good sense and probity, and his wife seems to have been sincerely attached to him. The great bulk of Madame de Sévigné's voluminous correspondence was addressed to her daughter, for whom she had an almost frantic fondness; Charles de Sévigné, though apparently far the more lovable of the two, having but an inferior share of his mother's affection. The letters to Madame de Grignan are for the most part dated either from Paris (in which case they are full of court news and gossip), or from Les Rochers, the country seat of the Sévignés, near Vitré, in which case they are full of social satire and curious details of the provincial life of that time. One very interesting series describes the habits and regimen of Vichy, which Madame de Sévigné visited in consequence of a severe attack of rheumatism. The correspondence thus serves as a minute and detailed history of the author for the last thirty years of her life, except during her rare visits to Grignan, in one of which, as has been mentioned, she caught the illness which proved fatal to her. It has been said that Madame de Sévigné's letters are very numerous. Those to her daughter especially were garbled in the earlier editions by omissions, and by the substitution of phrases which seemed to the 18th century more suitable than the fresh nature of the originals. The edition cited gives the extant MSS. faithfully. The enthusiastic affection lavished by the mother on the daughter naturally commends itself differently to different persons. It is certain that if it is not tedious, it is only due to the extraordinary literary art of the writer, an art which is at once the most artful and the most artless to be anywhere found. The only other faults of the letters are an occasional crudity of diction (which, however, is, when rightly taken, perfectly innocent and even valuable as exemplifying the manners of the time), and a decided heartlessness in relating the misfortunes of all those in whom the writer is not personally interested. Madame de Sévigné has been blamed for not sympathising more with the oppression of the French people during her time. This, however, is an unfair charge. In the first place she simply expresses the current political ideas of her day, and in the second place, she goes decidedly beyond those ideas in the direction of sympathy. Her treatment of some of her own equals leaves much more to desire. The account of Madame de Brinvilliers' sufferings — unworthy of much pity as the victim was — is callous to brutality, and it seems to be sufficient for anyone to have ever offended Madame de Grignan, or to have spoken slightingly of her, to put him, or her, out of the pale of even ordinary human sympathy. But no other fault can be found. For vivid social portraiture the book equals Saint Simon at his best, while it is far more uniformly good. The letters deccribing the engagement of La Grande Mademoiselle to Lauzun, the death of Vatel, the trial of Foucquet, the Vichy sojourn, the meeting of the states of Brittany, and many others, are not to be surpassed in this respect. Unlike Saint Simon, too, Madame de Sévigné has no fixed idea — except that of Madame de Grignan's perfections, which rarely interferes — to prevent her from taking fresh, original, and acute views of things in general as distinguished from mere court intrigues. Her literary criticism is excellent, and if she somewhat overvalues moralists like Nicole and novelists like Mademoiselle de Scudéry, who ministered to her peculiar tastes, her remarks on the great preachers, on La Fontaine, on Corneille and Racine, display a singular insight as well as a singular power of expression. She is, indeed, except in politics, on which few persons of her class had at the time any clear or distinct ideas, never superficial ; and this union of just thought with accurate observation and exceptional power of expression makes her position in literature.

# WHAT OCCURRED IN FRANCE DURING MME DE SÉVIGNÉ'S LIFETIME.

## 1626–1696.

A.D.

1626.  Mme de Sévigné born (*née* Marie de Rabutin-Chantal).

1627.  Birth of Bossuet ; death of de Sévigné's father.

1629.  Comte de Grignan born.   Richelieu prime minister.

1632.  Birth of Bourdaloue and Fléchier, preachers.

1633.  Vauban, "father of fortifications," born.

1634.  Birth of Mme de la Fayette the novelist, and of Mascaron the preacher.

1635.  Mme de Maintenon born.   The Hôtel de Rambouillet at its height. War against Spain.

1635.  French Academy founded.

1636.  Birth of the satirist Boileau.   Corneille's *Le Cid* performed.

1637.  Descartes' *Discours de la méthode*.

1638.  Birth of the "Sun King," Louis XIV.

1639.  Jean Racine born.

1640.  Corneille's *Horace* and *Cinna*.

1643.  Death of Louis XIII.   Corneille's *Polyeucte* and *Menteur*.

1644.  Marriage of Mme de Sévigné to the Marquis Henri de Sévigné.

1645.  Birth of La Bruyère (?).

1646.  Birth of Françoise Marie de Sévigné (Mme de Grignan) and of the great Condé.

1648.  Treaty of Westphalia.   Birth of Charles de Sévigné and death of Voiture the poet.   War of the Fronde.

1650.  Descartes and Vaugelas die.   The controversy between Jesuits and Jansenists begins.

1651.  Fénelon born.   Marquis de Sévigné killed in a duel by the Chevalier d'Albret.

1654.  Death of Balzac.

1656.  Pascal's *Provincial Letters* begin.

1657.  Fontenelle born.

A.D.

1659.  Molière's *Précieuses* represented.

1659.  War of the Fronde ended.

1660.  Death of Scarron and of Gaston, Duke of Orleans.   Boileau's
       *Satires* begin.

1660.  Marriage of Louis XIV. and Maria Theresa, of Spain.

1661.  Cardinal Mazarin dies.   Bossuet preaches at Versailles.

1662.  Death of Pascal, author of the *Pensées, The Provincial Letters*, etc.

1663.  Massillon born.

1664.  Trial and condemnation of Foucquet.   Racine's *Thébaïde*.

1665.  Death of Anne of Austria, Queen-mother.   Racine's *Alexandre*.
       La Rochefoucauld's *Maximes* appear.   Boileau's *Satires* end.

1666.  Molière's *Misanthrope*.

1667.  Racine's *Andromaque*.

1667.  Death of Georges de Scudéry, brother of " Sapho."

1668.  La Fontaine's Fables.   Racine's *Plaideurs*.   Le Sage born.

1669.  Marriage of Mme de Sévigné's daughter to Comte de Grignan.
       Racine's *Britannicus*.   Boileau's *Épîtres* (begun).   *Tartufe*.

1670.  Birth of Marie Blanche de Grignan, Mme de Sévigné's first grand-
       daughter.   Molière's *Bourgeois Gentilhomme*.   Publication of
       Pascal's *Pensées*.

1671.  Birth of Louis Provence de Grignan, Mme de Sévigné's
       grandson.

1672.  War against Holland.   Chancellor Seguier dies.   Racine's *Bajazet*
       performed.   Molière's *Femmes Savantes*.   Boileau's *Lutrin*
       (begun).

1673.  Molière's *Malade Imaginaire*.   Death of Molière.   Racine's *Mith-
       ridate*.

1674.  Boileau's *Art Poétique*.

1675.  Death of Turenne.   Saint Simon born.

1676.  Execution of the poisoner Brinvilliers.

1677.  Racine's *Phèdre*.

1678.  Treaty of Nimeguen.

1680.  Death of La Rochefoucauld and Foucquet.

1681.  Bossuet's *Discours sur l'Histoire Universelle*.

1682.  Bossuet made Bishop of Meaux.

1684.  Death of Corneille.

1685.  Revocation of the Edict of Nantes.

1685–86 (?).  Louis XIV. privately marries Mme de Maintenon.

1686.  Death of Condé.   Bossuet's *Éloge* on Condé.

1687.  Beginning of dispute between " ancients " and " moderns."

A.D.

1688. La Bruyère's *Caractères*. Beginning of Perrault's *Parallèles des anciens et des modernes.*

1689. Racine's *Esther.* Montesquieu born.

1691. Racine's *Athalie.*

1692. Death of Ménage.

1693. Death of Mme de la Fayette, of Mlle de Montpensier, and Bussy Rabutin.

1694. Voltaire born.

1695. Death of La Fontaine and Nicole.

1696. Death of Mme de Sévigné.


Some of these dates are naturally approximate only, as works like La Fontaine's *Fables*, Boileau's *Satires*, *Epistles*, *Lutrin*, etc., came out at intervals as their several books, cantos, etc., were completed.

# LETTRES

## DE MADAME DE SEVIGNE.

—➤•⟨⟩•⟵—

### I.—DE MADAME DE SEVIGNE A MENAGE.

Je vous dis encore une fois que nous ne nous entendons
point, et vous êtes bien heureux d'être éloquent, car sans
cela tout ce que vous m'avez mandé ne vaudroit guère.
Quoique cela soit merveilleusement bien arrangé, je n'en
suis pourtant pas effrayée, et je sens ma conscience si nette ,5
de ce que vous me dites, que je ne perds pas espérance de
vous faire connoître sa pureté. C'est pourtant une chose
impossible, si vous ne m'accordez une visite d'une demi-
heure ; et je ne comprends pas par quel motif vous me la
refusez si opiniâtrément. Je vous conjure encore une fois 10
de venir ici, et puisque vous ne voulez pas que ce soit aujourd'hui, je vous supplie que ce soit demain. Si vous n'y
venez pas, peut-être ne me fermerez-vous pas votre porte,
et je vous poursuivrai de si près que vous serez contraint
d'avouer que vous avez un peu de tort. Vous me voulez ce- 15
pendant faire passer pour ridicule, en me disant que vous
n'êtes brouillé avec moi qu'à cause que vous êtes fâché de
mon départ. Si cela était ainsi, je mériterois les Petites-
Maisons et non pas votre haine ; mais il y a toute différence,
et j'ai seulement peine à comprendre que, quand on aime 20
une personne et qu'on la regrette, il faille, à cause de cela,

lui faire froid au dernier point, les dernières fois que l'on la
voit.   Cela est une façon d'agir tout extraordinaire, et comme
je n'y étois pas accoutumée, vous devez excuser ma surprise.
Cependant je vous conjure de croire qu'il n'y a pas un de
5 ces anciens et nouveaux amis dont vous me parlez, que j'estime ni que j'aime tant que vous.   C'est pourquoi, devant
que de vous perdre, donnez-moi la consolation de vous
mettre dans votre tort, et de dire que c'est vous qui ne
m'aimez plus.
                                                    CHANTAL.


### 27. — DE MADAME DE SEVIGNE A MENAGE.

10                        (AUX ROCHERS)  *ce 1er d'octobre* [*1654*].

J'ai reçu la lettre que vous m'avez envoyée de M. le
Coadjuteur, et ne doute pas qu'elle ne fasse un très-grand
effet.   Je l'envoyai dès hier à Nantes, à M. le maréchal
de la Meilleraye, et je ne vous puis dire à quel point
15 je vous suis obligée de la diligence avec laquelle vous m'a-
vez rendu ce bon office.   En cela j'ai bien reconnu votre
manière ordinaire, et en vérité je vous en remercie d'aussi
bon cœur, que de bon cœur vous avez pris cette peine.   Je
crois que vous en serez content.   Je n'écris point à M. le
20 Coadjuteur pour lui en faire un compliment ; je crois qu'il
suffira que vous lui en fassiez un pour moi.   Je vous conjure de n'y pas manquer, et de me mander si le vôtre suffira.
Mais voici qui est admirable de vous voir si bien avec
toute ma famille.   Il y a six mois que cela n'étoit pas du
25 tout si bien.   Je trouve que les changements si prompts res-
semblent fort à ceux de la cour ; je vous dirai pourtant qu'à
mon avis cette bonne intelligence ici durera davantage ; et
pour moi, j'en ai une si grande joie, que je ne puis vous la
dire au point qu'elle est.   Mais, bon Dieu ! où avez-vous été
30 pêcher ce M. le grand prieur, que M. de Sévigné appeloit
toujours *mon oncle le Pirate ?*   Il s'étoit mis dans la fantai-

sie que c'étoit sa bête de ressemblance, et je trouve qu'il avoit assez de raison. Mais dites-moi donc ce que vous pouvez avoir à faire ensemble, aussi bien qu'avec le comte de Bussy. J'ai une curiosité étrange que vous me contiez cette affaire, comme vous me l'avez promis. Mais en voici bien 5 une autre : c'est que notre abbé, qui entend dire de tous côtés que l'on vous aime, se va mettre dans la tête de vous aimer aussi, tellement qu'il m'a déjà priée de vous en jeter quelques paroles par-ci par-là. Je lui ai promis de faire mes efforts, et s'il est vrai que vous aimiez ceux que j'aime, 10 et à qui j'ai d'extrêmes obligations, je n'aurai pas beaucoup de peine à obtenir cette grâce de vous. Je vous donne le temps d'y penser, et en attendant je vous assure que vous devez être aussi content de moi, que ce jour que je vous écrivis une lettre de dix mille écus. 15

MARIE DE RABUTIN CHANTAL.

Un compliment à M. Girault ; je n'ai point reçu son livre. Mandez-moi si c'est tout de bon que M. de Luynes soit mort, car je ne le saurois encore croire.

36. — DE MADAME DE SEVIGNE AU COMTE DE BUSSY RABUTIN.

A PARIS, *ce 25e novembre 1655.* 20

Vous faites bien l'entendu, Monsieur le Comte. Sous ombre que vous écrivez comme un petit Cicéron, vous croyez qu'il vous est permis de vous moquer des gens. A la vérité, l'endroit que vous avez remarqué m'a fait rire de tout mon cœur ; mais je suis étonnée qu'il n'y eût que cet 25 endroit-là de ridicule ; car de la manière dont je vous écrivis, c'est un miracle que vous ayez pu comprendre ce que je vous voulois dire, et je vois bien qu'en effet vous avez de l'esprit, ou que ma lettre est meilleure que je ne pensois :

quoi qu'il en soit, je suis fort aise que vous ayez profité de
l'avis que je vous donnois.

On m'a dit que vous sollicitiez de demeurer sur la frontière cet hiver.   Comme vous savez, mon pauvre cousin,
5 que je vous aime un peu rustaudement, je voudrois qu'on
vous l'accordât; car on dit qu'il n'y a rien qui avance
tant les gens, et vous ne doutez pas de la passion que j'ai
pour votre fortune.   Mais[1] quoi qu'il puisse arriver, je serai
contente.   Si vous demeurez sur la frontière, l'amitié solide y
10 trouvera son compte, et si vous revenez, l'amitié tendre
sera satisfaite.

On dit que Mme de Châtillon est chez l'abbé Foucquet,
cela paroît fort plaisant à tout le monde.

Mme de Roquelaure est revenue tellement belle, qu'elle
15 défit hier le Louvre à plate couture : ce qui donne une si
terrible jalousie aux belles qui y sont, que par dépit on a
résolu qu'elle ne sera point des après-soupers, qui sont gais
et galants, comme vous savez.   Mme de Fiennes voulut l'y
faire demeurer hier ; mais on comprit par la réponse de la
20 Reine qu'elle pouvoit s'en retourner.

Le prince d'Harcourt et la Feuillade eurent querelle
avant-hier chez Jeannin.   Le prince disant que le chevalier
de Gramont avoit l'autre jour ses poches pleines d'argent,
il en prit à témoin la Feuillade, qui dit que cela n'étoit
25 point, et qu'il n'avoit pas un sou.   "Je vous dis que si. —
Je vous dis que non. — Taisez-vous, la Feuillade. — Je
n'en ferai rien."   Là-dessus le prince lui jette une assiette
à la tête, l'autre lui jette un couteau ; ni l'un ni l'autre
ne porta.   On se met entre-deux, on les fait embrasser ; le
30 soir ils se parlent au Louvre, comme si de rien n'étoit.   Si
vous avez jamais vu le procédé des académistes qui ont
*campos*, vous trouverez que cette querelle y ressemble fort.

───────

[1] Bussy avait d'abord écrit *ainsi*, qu'il a effacé et remplacé par
*mais*.

Adieu, mon cher cousin, mandez-moi s'il est vrai que vous vouliez passer l'hiver sur la frontière, et croyez surtout que je suis la plus fidèle amie que vous ayez au monde.

### 54.—DE MADAME DE SEVIGNE A M. DE POMPONE.

[*1664.*]

Aujourd'hui lundi 17ᵉ novembre, M. Foucquet a été pour 5 la seconde fois sur la sellette. Il s'est assis sans façon comme l'autre fois. M. le chancelier a recommencé à lui dire de lever la main : il a répondu qu'il avoit déjà dit les raisons qui l'empêchoient de prêter le serment ; qu'il n'étoit pas nécessaire de les redire ; là-dessus M. le chancelier s'est 10 jeté dans de grands discours, pour faire voir le pouvoir légitime de la chambre ; que le Roi l'avoit établie, et que les commissions avaient été vérifiées par les compagnies souveraines. M. Foucquet a répondu que souvent on faisoit des choses par autorité, que quelquefois on ne trouvoit pas justes 15 quand on y avoit fait réflexion. M. le chancelier a interrompu : "Comment ! vous dites donc que le Roi abuse de sa puissance ?" M. Foucquet a répondu : "C'est vous qui le dites, Monsieur, et non pas moi : ce n'est point ma pensée, et j'admire qu'en l'état où je suis, vous me vouliez faire une 20 affaire avec le Roi ; mais, Monsieur, vous savez bien vous-même qu'on peut être surpris. Quand vous signez un arrêt, vous le croyez juste ; le lendemain vous le cassez : vous voyez qu'on peut changer d'avis et d'opinion. — Mais cependant, a dit M. le chancelier, quoique vous ne reconnoissiez 25 pas la chambre, vous lui répondez, vous présentez des requêtes, et vous voilà sur la sellette. — Il est vrai, Monsieur, a-t-il répondu, j'y suis ; mais je n'y suis pas par ma volonté ; on m'y mène ; il y a une puissance à laquelle il faut obéir, et c'est une mortification que Dieu me fait souffrir, et que je 30 reçois de sa main. Peut-être pouvoit-on bien me l'épargner,

après les services que j'ai rendus, et les charges que j'ai eu
l'honneur d'exercer." Après cela, M. le chancelier a continué l'interrogation de la pension des gabelles, où M. Foucquet a très-bien répondu. Les interrogations continueront,
5 et je continuerai à vous les mander fidèlement. Je voudrois
seulement savoir si mes lettres vous sont rendues sûrement.

Madame votre sœur qui est à nos sœurs du faubourg
a signé ; elle voit à cette heure la communauté, et paroît
fort contente. Madame votre tante ne paroît pas en colère
10 contre elle. Je ne croyois point que ce fût celle-là qui eût
fait le saut ; il y en a encore une autre.

Vous savez sans doute notre déroute de Gigeri, et comme
ceux qui ont donné les conseils veulent jeter la faute sur
ceux qui ont exécuté : on prétend faire le procès à Gadagne
15 pour ne s'être pas bien défendu. Il y a des gens qui en
veulent à sa tête : tout le public est persuadé pourtant qu'il
ne pouvoit pas faire autrement.

On parle fort ici de M. d'Aleth, qui a excommunié les
officiers subalternes du Roi qui ont voulu contraindre les
20 ecclésiastiques de signer. Voilà qui le brouillera avec Monsieur votre père, comme cela le réunira avec le P. Annat.

Adieu, je sens que l'envie de causer me prend, je ne veux
pas m'y abandonner : il faut que le style des relations soit
court.


58. — DE MADAME DE SEVIGNE A M. DE POMPONE.

25                                    *Jeudi 27ᵉ novembre [1664].*

On a continué aujourd'hui les interrogations sur les
octrois. M. le chancelier avait bonne intention de pousser
M. Foucquet aux extrémités, et de l'embarrasser ; mais il
n'en est pas venu à bout. M. Foucquet s'est fort bien tiré
30 d'affaire. Il n'est entré qu'à onze heures, parce que M. le
chancelier a fait lire le rapporteur, comme je vous l'ai

mandé ; et malgré toute cette belle dévotion, il disoit toujours tout le pis contre notre pauvre ami. Le rapporteur
prenoit toujours son parti, parce que le chancelier ne parloit
que pour un côté. Enfin il a dit : "Voici un endroit sur
quoi l'accusé ne pourra pas répondre." Le rapporteur a    5
dit : "Ah ! monsieur, pour cet endroit-là, voici l'emplâtre
qui le guérit," et a dit une très-forte raison, et puis il a
ajouté : "Monsieur, dans la place où je suis, je dirai toujours la vérité, de quelque manière qu'elle se rencontre."
On a souri de l'*emplâtre* qui a fait souvenir de celui qui a   10
tant fait de bruit. Sur cela on a fait entrer l'accusé, qui n'a
pas été une heure dans la chambre, et en sortant plusieurs
ont fait compliment à T*** de sa fermeté.

Il faut que je vous conte ce que j'ai fait. Imaginez-vous
que des dames m'ont proposé d'aller dans une maison qui   15
regarde droit dans l'Arsenal, pour voir revenir notre pauvre
ami. J'étois masquée, je l'ai vu venir d'assez loin. M.
d'Artagnan étoit auprès de lui ; cinquante mousquetaires
derrière, à trente ou quarante pas. Il paroissoit assez rêveur.
Pour moi, quand je l'ai aperçu, les jambes m'ont tremblé,   20
et le cœur m'a battu si fort, que je n'en pouvois plus. En
s'approchant de nous pour rentrer dans son trou, M. d'Artagnan l'a poussé, et lui a fait remarquer que nous étions là.
Il nous a donc saluées, et a pris cette mine riante que vous
lui connoissez. Je ne crois pas qu'il m'ait reconnue ; mais   25
je vous avoue que j'ai été étrangement saisie, quand je l'ai
vu rentrer dans cette petite porte. Si vous saviez combien
on est malheureux quand on a le cœur fait comme je l'ai, je
suis assurée que vous auriez pitié de moi ; mais je pense
que vous n'en êtes pas quitte à meilleur marché, de la   30
manière dont je vous connois.

J'ai été voir votre chère voisine ; je vous plains autant de
ne l'avoir plus, que nous nous trouvons heureux de l'avoir.
Nous avons bien parlé de notre cher ami, elle avoit vu Sapho,

qui lui a redonné du courage.    Pour moi j'irai demain en reprendre chez elle ; car de temps en temps je sens que j'ai besoin de réconfort.    Ce n'est pas que l'on ne dise mille choses
qui doivent donner de l'espérance ; mais, mon Dieu ! j'ai l'ima-
5 gination si vive que tout ce qui est incertain me fait mourir.

### 65.—DE MADAME DE SEVIGNE A M. DE POMPONE.

*Lundi au soir [22e décembre 1664].*

Ce matin à dix heures on a mené M. Foucquet à la chapelle de la Bastille.    Foucaut tenoit son arrêt à la main.    Il
lui a dit : "Monsieur, il faut me dire votre nom, afin que je
10 sache à qui je parle."   M. Foucquet a répondu : "Vous savez
bien qui je suis, et pour mon nom je ne le dirai non plus ici
que je ne l'ai dit à la chambre ; et pour suivre le même
ordre, je fais mes protestations contre l'arrêt que vous m'allez lire."   On a écrit ce qu'il disoit, et en même temps Fou-
15 caut s'est couvert et a lu l'arrêt.    M. Foucquet l'a écouté
découvert.    Ensuite on a séparé de lui Pecquet et Lavalée,
et les cris et les pleurs de ces pauvres gens ont pensé fendre
le cœur de ceux qui ne l'ont pas de fer.    Ils faisoient un
bruit si étrange que M. d'Artagnan a été contraint de les
20 aller consoler ; car il sembloit que ce fût un arrêt de mort
qu'on vînt de lire à leur maître.    On les a mis tous deux
dans une chambre à la Bastille ; on ne sait ce qu'on en fera.
Cependant M. Foucquet est allé dans la chambre d'Artagnan.    Pendant qu'il y étoit, il a vu par la fenêtre passer
25 M. d'Ormesson, qui venoit de reprendre quelques papiers
qui étoient entre les mains de M. d'Artagnan.    M. Foucquet
l'a aperçu ; il l'a salué avec un visage ouvert et plein de joie
et de reconnoissance.    Il lui a même crié qu'il étoit son
très-humble serviteur.    M. d'Ormesson lui a rendu son salut
30 avec une très-grande civilité, et s'en est venu, le cœur tout
serré, me raconter ce qu'il avoit vu.

A onze heures, il y avoit un carrosse prêt, où M. Foucquet est entré avec quatre hommes; M. d'Artagnan à cheval avec cinquante mousquetaires.   Il le conduira jusqu'à
Pignerol, où il le laissera en prison sous la conduite d'un
nommé Saint-Mars, qui est fort honnête homme, et qui    5
prendra cinquante soldats pour le garder.   Je ne sais si on
lui a donné un autre valet de chambre.   Si vous saviez
comme cette cruauté paroît à tout le monde, de lui avoir
ôté ces deux hommes, Pecquet et Lavalée : c'est une chose
inconcevable; on en tire même des conséquences fâcheuses,   10
dont Dieu le préservera, comme il a fait jusqu'ici.   Il faut
mettre sa confiance en lui, et le laisser sous sa protection,
qui lui a été si salutaire.   On lui refuse toujours sa femme.
On a obtenu que la mère n'ira qu'au Parc, chez sa fille,
qui en est abbesse.   L'écuyer suivra sa belle-sœur; il a    15
déclaré qu'il n'avoit pas de quoi se nourrir ailleurs.   M.
et Mme de Charost vont toujours à Ancenis.   M. Bailly,
avocat général, a été chassé pour avoir dit à Gisaucourt,
devant le jugement du procès, qu'il devroit bien remettre la
compagnie du grand conseil en honneur, et qu'elle seroit   20
bien déshonorée si Chamillart, Pussort et lui alloient le
même train.   Cela me fâche à cause de vous; voilà une
grande rigueur : *Tantœne animis cœlestibus iræ ?*

Mais non, ce n'est point de si haut que cela vient.   De
telles vengeances, rudes et basses ne sauroient partir d'un   25
cœur comme celui de notre maître.   On se sert de son nom,
et on le profane, comme vous voyez.   Je vous manderai la
suite : il y auroit bien à causer sur tout cela; mais il est
impossible par lettres.   Adieu, mon pauvre Monsieur, je ne
suis pas si modeste que vous; et sans me sauver dans la   30
foule, je vous assure que je vous aime et vous estime très-fort.

J'ai vu cette nuit la comète : sa queue est d'une fort belle
longueur; j'y mets une partie de mes espérances.

Mille baisemains à votre chère femme.

## 80. — DE MADAME DE SEVIGNE AU COMTE DE BUSSY RABUTIN.

A Paris, *ce 26e juillet 1668.*

Je veux commencer à répondre en deux mots à votre lettre du 9e de ce mois, et puis notre procès sera fini.

Vous m'attaquez doucement, Monsieur le Comte, et me
5 reprochez finement que je ne fais pas grand cas des malheureux ; mais qu'en récompense je battrai des mains pour votre retour ; en un mot, que je hurle avec les loups, et que je suis d'assez bonne compagnie pour ne pas dédire ceux qui blâment les absents.

10    Je vois bien que vous êtes mal instruit des nouvelles de ce pays-ci.   Mon cousin, apprenez donc de moi que ce n'est pas la mode de m'accuser de foiblesse pour mes amis.   J'en ai beaucoup d'autres, comme dit Mme de Bouillon, mais je n'ai pas celle-là.   Cette pensée n'est que dans votre tête, et
15 j'ai fait ici mes preuves de générosité sur le sujet des disgraciés, qui m'ont mise en honneur dans beaucoup de bons lieux, que je vous dirois bien si je voulois.   Je ne crois donc pas mériter ce reproche, et il faut que vous rayiez cet article sur le mémoire de mes défauts.   Mais venons à vous.

20    Nous sommes proches, et de même sang ; nous nous plaisons, nous nous aimons, nous prenons intérêt dans nos fortunes.   Vous me parlez de vous avancer de l'argent sur les dix mille écus que vous aviez à toucher dans la succession de M. de Chalon.   Vous dites que je vous l'ai refusé, et
25 moi, je dis que je vous l'ai prêté ; car vous savez fort bien, et notre ami Corbinelli en est témoin, que mon cœur le voulut d'abord, et que lorsque nous cherchions quelques formalités pour avoir le consentement de Neuchèse, afin d'entrer en votre place pour être payé, l'impatience vous
30 prit ; et m'étant trouvée par malheur assez imparfaite de

corps et d'esprit pour vous donner sujet de faire un fort joli
portrait de moi, vous le fîtes, et vous préférâtes à notre
ancienne amitié, à votre nom, et à la justice même, le plaisir
d'être loué de votre ouvrage. Vous savez qu'une dame de
vos amies vous obligea généreusement de le brûler; elle 5
crut que vous l'aviez fait, je le crus aussi; et quelque temps
après, ayant su que vous aviez fait des merveilles sur le
sujet de M. Foucquet et le mien, cette conduite acheva de
me faire revenir. Je me raccommodai avec vous à mon
retour de Bretagne; mais avec quelle sincérité! Vous le 10
savez. Vous savez encore notre voyage de Bourgogne, et
avec quelle franchise je vous redonnai toute la part que vous
aviez jamais eue dans mon amitié. Je revins entêtée de
votre société. Il y eut des gens qui me dirent en ce temps-
là : "J'ai vu votre portrait entre les mains de Mme de 15
la Baume, je l'ai vu." Je ne réponds que par un sourire
dédaigneux, ayant pitié de ceux qui s'amusoient à croire à
leurs yeux. "Je l'ai vu," me dit-on encore au bout de huit
jours; et moi de sourire encore. Je le redis en riant à
Corbinelli ; je repris [1] le même sourire moqueur qui m'avoit 20
déjà servi en deux occasions, et je demeurai cinq ou six mois
de cette sorte, faisant pitié à ceux dont je m'étois moquée.
Enfin le jour malheureux arriva, où je vis moi-même, et de
mes propres yeux *bigarrés*, ce que je n'avois pas voulu
croire. Si les cornes me fussent venues à la tête, j'aurois 25
été bien moins étonnée. Je le lus, et je le relus, ce cruel
portrait; je l'aurois trouvé très-joli s'il eût été d'une autre
que de moi, et d'un autre que de vous. Je le trouvai même
si bien enchâssé, et tenant si bien sa place dans le livre,
que je n'eus pas la consolation de me pouvoir flatter qu'il fût 30
d'un autre que de vous. Je le reconnus à plusieurs choses
que j'en avais ouï dire, plutôt qu'à la peinture de mes senti-

---

[1] On lit dans le manuscrit *il reprit*. Ce qui précède rend la correction
nécessaire.

ments, que je méconnus entièrement.    Enfin je vous vis au
Palais-Royal, où je vous dis que ce livre couroit.    Vous
voulûtes me conter qu'il falloit qu'on eût fait ce portrait de
mémoire, et qu'on l'avoit mis là.    Je ne vous crus point du
5 tout.    Je me ressouvins alors des avis qu'on m'avoit donnés,
et dont je m'étois moquée.    Je trouvai que la place où étoit
ce portrait étoit si juste, que l'amour paternel vous avoit
empêché de vouloir défigurer cet ouvrage, en l'ôtant d'un
lieu où il tenoit si bien son coin.    Je vis que vous vous étiez
10 moqué et de Mme de Montglas, et de moi ; que j'avois été
votre dupe, que vous aviez abusé de ma simplicité, et que
vous aviez eu sujet de me trouver bien innocente, en voyant
le retour de mon cœur pour vous, et sachant que le vôtre
me trahissoit : vous savez la suite.

15    Être dans les mains de tout le monde ; se trouver impri-
mée ; être le livre de divertissement de toutes les provinces,
où ces choses-là font un tort irréparable; se rencontrer dans
les bibliothèques, et recevoir cette douleur, par qui ? Je
ne veux point vous étaler davantage toutes mes raisons :
20 vous avez bien de l'esprit, je suis assurée que si vous voulez faire un quart d'heure de réflexion, vous les verrez, et
vous les sentirez comme moi.    Cependant que fais-je quand
vous êtes arrêté ?    Avec la douleur dans l'âme, je vous fais
faire des compliments, je plains votre malheur, j'en parle
25 même dans le monde, et je dis assez librement mon avis sur
le procédé de Mme de la Baume pour en être brouillée
avec elle.    Vous sortez de prison, je vous vais voir plusieurs
fois ; je vous dis adieu quand je partis pour Bretagne ; je
vous ai écrit, depuis que vous êtes chez vous, d'un style
30 assez libre et sans rancune ; et enfin je vous écris encore
quand Mme d'Époisse me dit que vous vous êtes cassé
la tête.

   Voilà ce que je voulois vous dire une fois en ma vie,
en vous conjurant d'ôter de votre esprit que ce soit moi

qui ait tort. Gardez ma lettre, et la relisez, si jamais la
fantaisie vous prenoit de le croire, et soyez juste là-dessus,
comme si vous jugiez d'une chose qui se fût passée entre
deux autres personnes. Que votre intérêt ne vous fasse
point voir ce qui n'est pas ; avouez que vous avez cruelle-   5
ment offensé l'amitié qui étoit entre nous, et je suis dé-
sarmée. Mais de croire que si vous répondez, je puisse
jamais me taire, vous auriez tort ; car ce m'est une chose
impossible. Je verbaliserai toujours : au lieu d'écrire en
deux mots, comme je vous l'avois promis, j'écrirai en deux   10
mille ; et enfin j'en ferai tant, par des lettres d'une longueur
cruelle, et d'un ennui mortel, que je vous obligerai malgré
vous à me demander pardon, c'est-à dire à me demander la
vie. Faites-le donc de bonne grâce.

Au reste, j'ai senti votre saignée. N'étoit-ce pas le 17ᵉ de   15
ce mois ? Justement : elle me fit tous les biens du monde, et
je vous en remercie. Je suis si difficile à saigner, que c'est
charité à vous de donner votre bras au lieu du mien.

Pour cette sollicitation, envoyez-moi votre homme d'affaires avec un placet, et je le ferai donner par une amie de   20
ce M. Didé (car pour moi, je ne le connois point), et j'irai
même avec cette amie. Vous pouvez vous assurer que si je
pouvois vous rendre service, je le ferois, et de bon cœur, et
de bonne grâce. Je ne vous dis point l'intérêt extrême que
j'ai toujours pris à votre fortune : vous croiriez que ce   25
seroit le Rabutinage qui en seroit la cause ; mais non,
c'étoit vous. C'est vous encore qui m'avez causé des
afflictions tristes et amères en voyant ces trois nouveaux
maréchaux de France. Mme de Villars, qu'on alloit voir,
me mettoit devant les yeux les visites qu'on m'auroit rendues   30
en pareille occasion, si vous aviez voulu.

La plus jolie fille de France vous fait des compliments.
Ce nom me paroît assez agréable ; je suis pourtant lasse
d'en faire les honneurs.

## 86. — DE MADAME DE SEVIGNE AU COMTE DE BUSSY RABUTIN.

A Paris, *ce 4e septembre 1668.*

Levez-vous, Comte, je ne veux point vous tuer à terre,
ou reprenez votre épée pour recommencer notre combat.
Mais il vaut mieux que je vous donne la vie, et que nous
5 vivions en paix.   Vous avouerez seulement la chose comme
elle s'est passée : c'est tout ce que je veux.   Voilà un procédé assez honnête : vous ne me pouvez plus appeler justement une petite brutale.

Je ne trouve pas que vous ayez conservé une grande
10 tendresse pour la belle qui vous captivoit autrefois ; il en
faut revenir à ce que vous avez dit :

A la cour,
Quand on a perdu l'estime,
On perd l'amour.

15     M. de Montausier vient d'être fait gouverneur de Monsieur le Dauphin :

Je t'ai comblé de biens, je t'en veux accabler.

Adieu, Comte.   Présentement que je vous ai battu, je
dirai partout que vous êtes le plus brave homme de France,
20 et je conterai notre combat le jour que je parlerai des com-
bats singuliers.

Ma fille vous fait ses compliments.   L'opinion que vous
avez de sa fortune nous console un peu.

## 88. — DE MADAME DE SEVIGNE AU COMTE DE BUSSY RABUTIN.

A Paris, *ce 4e décembre 1668.*

25   N'avez-vous pas reçu ma lettre où je vous donnois la
vie, et ne voulois pas vous tuer à terre ? J'attendois une

réponse sur cette belle action ; mais vous n'y avez pas pensé ; vous vous êtes contenté de vous relever, et de reprendre votre épée comme je vous l'ordonnois. J'espère que ce ne sera pas pour vous en servir jamais contre moi.

Il faut que je vous apprenne une nouvelle qui sans 5 doute vous donnera de la joie ; c'est qu'enfin la plus jolie fille de France épouse, non pas le plus joli garçon, mais un des plus honnêtes hommes du royaume : c'est M. de Grignan, que vous connoissez il y a longtemps. Toutes ses femmes sont mortes pour faire place à votre cousine, et 10 même son père et son fils, par une bonté extraordinaire, de sorte qu'étant plus riche qu'il n'a jamais été, et se trouvant d'ailleurs, et par sa naissance, et par ses établissements, et par ses bonnes qualités, tel que nous le pouvions souhaiter, nous ne le marchandons point, comme 15 on a accoutumé de faire : nous nous en fions bien aux deux familles qui ont passé devant nous. Il paroît fort content de notre alliance, et aussitôt que nous aurons des nouvelles de l'archevêque d'Arles son oncle, son autre oncle l'évêque d'Uzès étant ici, ce sera une affaire qui s'achèvera avant 20 la fin de l'année. Comme je suis une dame assez régulière, je n'ai pas voulu manquer à vous en demander votre avis, et votre approbation. Le public paroît content, c'est beaucoup : car on est si sot que c'est quasi sur cela qu'on se règle. 25

Mais voici encore un autre article sur quoi je veux que vous me contentiez, s'il vous reste un brin d'amitié pour moi. Je sais que vous avez mis au bas du portrait que vous avez de moi, que j'ai été mariée à un gentilhomme breton, honoré des alliances de Vassé et de Rabutin. Cela n'est 30 pas juste, mon cher cousin. Je suis depuis peu si bien instruite de la maison de Sévigné, que j'aurois sur ma conscience de vous laisser dans cette erreur. Il a fallu montrer notre noblesse en Bretagne, et ceux qui en ont le plus ont pris plaisir de se servir de cette occasion pour étaler leur marchandise.   Voici la nôtre :

Quatorze contrats de mariage de père en fils ; trois cent cinquante ans de chevalerie ; les pères quelquefois consi-
5 dérables dans les guerres de Bretagne, et bien marqués dans l'histoire ; quelquefois retirés chez eux comme des Bretons ; quelquefois de grands biens, quelquefois de médiocres ; mais toujours de bonnes et de grandes alliances. Celles de trois cent cinquante ans, au bout desquels on ne
10 voit que des noms de baptême, sont du Quelnec, Montmorency, Baraton et Châteaugiron.   Ces noms sont grands ; ces femmes avoient pour maris des Rohan et des Clisson. Depuis ces quatre, ce sont des Guesclin, des Coetquen, des Rosmadec, des Clindon, des Sévigné de leur même maison ;
15 des du Bellay, des Rieux, des Bodegal, des Plessis Ireul, et d'autres qui ne me reviennent pas présentement, jusqu'à Vassé et jusqu'à Rabutin.   Tout cela est vrai, il faut m'en croire. . . .   Je vous conjure donc, mon cousin, si vous me voulez obliger, de changer votre écriteau, et si vous n'y
20 voulez point mettre de bien, n'y mettez point de rabaissement.   J'attends cette marque de votre justice, et du reste d'amitié que vous avez pour moi.

Adieu, mon cher cousin, donnez-moi promptement de vos nouvelles, et que notre amitié soit désormais sans nuages.[1]


90. — DU CARDINAL DE RETZ A MADAME DE SEVIGNE.

25                                A COMMERCI, *le 20e décembre* [*1668*].

Si les intérêts de Mme de Meckelbourg et de M. le maréchal d'Albret vous sont indifférents, Madame, je solliciterai pour le cavalier, parce que je l'aime quatre fois plus que la dame.   Si vous voulez que je sollicite pour la dame,

---

[1] Cette dernière phrase manque dans le manuscrit de Bussy.

je le ferai de très-bon cœur, parce que je vous aime quatre
millions de fois mieux que le cavalier.   Si vous m'ordonnez
la neutralité, je la garderai.   Enfin, parlez, et vous serez
ponctuellement obéie.   Je ne suis point surpris des frayeurs
de ma nièce : il y a longtemps que je me suis aperçu qu'elle   5
dégénère ; mais quelque grand que vous me dépeigniez son
transissement sur le jour de la conclusion, je doute qu'il
puisse être égal au mien sur les suites, depuis que j'ai vu
par une de vos lettres que vous n'avez ni n'espérez guère
d'éclaircissements, et que vous vous abandonnez en quelque  10
sorte au destin, qui est souvent très-ingrat, et reconnoît
assez mal la confiance que l'on a placée en lui.   Je me
trouve en vérité, sans comparaison, plus sensible à ce qui
vous regarde, vous et la petite, qu'à ce qui m'a jamais
touché moi-même le plus sensiblement.                        15

   Au reste, Madame, ne vous en prenez ni au cardinal
dataire, ni à moi, de ce que l'on n'a rien fait encore pour
Corbinelli.   Un homme de la daterie, en qui je me fiois, a
pris mon nom pour obtenir mille grâces pour lui, et m'a
trompé dans trois ou quatre chefs.   S'il en a usé pour Cor-  20
binelli comme il a fait pour d'autres, je doute que le nom
de Corbinelli ait été seulement prononcé depuis ma première
lettre.   Il n'y a pas quinze jours que ce même homme
m'écrivit une longue histoire sur cette affaire, et sur quelques
autres que je lui avois recommandées ; et j'ai découvert deux  25
faussetés dans les détails qu'il me fait.   Ce n'est pas au
sujet de Corbinelli ; mais comme je vois qu'il ment sur le
reste, je juge qu'il a pu encore mentir à cet égard.   J'y
remédierai par le premier ordinaire, et avec toute la force
qu'il me sera possible ; vous ne pouvez vous imaginer le  30
chagrin que cela m'a donné.

109. — DE MADAME DE SEVIGNE AU COMTE DE GRIGNAN.

A Paris, *mercredi 25e juin* [*1670*].

Vous m'avez écrit la plus aimable lettre du monde ; j'y
aurois fait plus tôt réponse, sans que j'ai su que vous cou-
riez par votre Provence.   Je voulois d'ailleurs vous envoyer
5 les motets que vous m'aviez demandés : je n'ai pu encore
les avoir ; de sorte qu'en attendant, je veux vous dire que
je vous aime toujours très-tendrement, et que si cela peut
vous donner quelque joie, comme vous me le dites, vous
devez être l'homme du monde le plus content.   Vous le
10 serez sans doute beaucoup du commerce que vous avez
avec ma fille : il me paroît très-vif de sa part.   Je ne crois
point qu'on puisse plus aimer qu'elle vous aime.   Pour moi,
j'espère que je vous la rendrai saine et entière, avec un
petit enfant de même, ou j'y brûlerai mes livres.   Il est vrai
15 que je ne suis pas habile, mais je sais bien demander conseil, et le suivre ; et ma fille de son côté contribue fort à
sa conservation.

J'ai mille compliments à vous faire de M. de la Rochefoucauld et de son fils ; ils ont reçu tous les vôtres.   Mme
20 de la Fayette vous rend mille grâces de votre souvenir,
aussi bien que ma tante, et mon abbé, qui aime votre femme
de tout son cœur : ce n'est pas peu, car si elle n'étoit pas
bien raisonnable, il la haïroit le plus franchement du monde.

Si l'occasion vous vient de rendre quelque service à un
25 gentilhomme de votre pays, qui s'appelle Valcroissant, je
vous conjure de le faire : vous ne me sauriez donner une
marque plus agréable de votre amitié.   Vous m'avez promis
un canonicat pour son frère ; vous connoissez toute sa
famille.   Ce pauvre garçon étoit attaché à M. Foucquet ;
30 il a été convaincu d'avoir servi à faire tenir une de ses
lettres à sa femme ; sur cela il a été condamné aux galères

pour cinq ans : c'est une chose un peu extraordinaire. Vous
savez que c'est un des plus honnêtes garçons qu'on puisse
voir, et propre aux galères comme à prendre la lune avec
les dents.

Brancas est fort content de vous, et ne prétend pas vous 5
épargner quand il aura besoin de votre service. Il est persuadé qu'il vous a donné une si jolie femme, et qui vous
aime si tendrement, que vous ne pouvez jamais en faire
assez pour vous acquitter envers lui. Adieu, mon très-
cher Comte, je vous embrasse de toute la tendresse de 10
mon cœur. •

112.—DE MADAME DE SEVIGNE AU COMTE DE GRIGNAN.

A PARIS, *mercredi 6e août 1670.*

Est-ce qu'en vérité je ne vous ai pas donné la plus jolie
femme du monde? Peut-on être plus honnête, plus régulière?
Peut-on vous aimer plus tendrement? Peut-on avoir des 15
sentiments plus chrétiens? Peut-on souhaiter plus passionnément d'être avec vous? Et peut-on avoir plus d'attachement à tous ses devoirs? Cela est assez ridicule que je dise
tant de bien de ma fille; mais c'est que j'admire sa conduite
comme les autres; et d'autant plus que je la vois de plus 20
près, et qu'en vérité, quelque bonne opinion que j'eusse
d'elle sur les choses principales, je ne croyois point du
tout qu'elle dût être exacte sur toutes les autres au point
qu'elle l'est. Je vous assure que le monde aussi lui rend
bien justice, et qu'elle ne perd aucune des louanges qui lui 25
sont dues. Voilà mon ancienne thèse, qui me fera lapider
un jour : c'est que le public n'est ni fou ni injuste; Mme
de Grignan en doit être trop contente pour disputer contre
moi présentement. Elle a été dans des peines de votre
santé qui ne sont pas concevables; je me réjouis que vous 30
soyez guéri, pour l'amour de vous, et pour l'amour d'elle.

Si elle vouloit après cela devenir folle et coquette, elle le
seroit plus d'un an avant qu'on le pût croire, tant elle a
donné bonne opinion de sa sagesse.    Je prends à témoin
tous les Grignans qui sont ici, de la vérité de tout ce que je
5 dis.    La joie que j'en ai a bien du rapport à vous ; car je
vous aime de tout mon cœur, et suis ravie que la suite ait
si bien justifié votre goût.    Je ne vous dis aucune nouvelle ;
ce seroit aller sur les droits de ma fille.    Je vous conjure
seulement de croire qu'on ne peut s'intéresser plus tendre-
10 ment que je fais à ce qui vous touche.

127. — DE MADAME DE SEVIGNE AU COMTE DE GRIGNAN.

A PARIS, *vendredi 16e janvier* [*1671*].

Hélas ! je l'ai encore cette pauvre enfant, et quoi qu'elle
ait pu faire, il n'a pas été en son pouvoir de partir le 10e
de ce mois, comme elle en avoit le dessein.    Les pluies ont
15 été et sont encore si excessives, qu'il y auroit eu de la folie
à se hasarder.    Toutes les rivières sont débordées ; tous les
grands chemins sont noyés ; toutes les ornières cachées ;
on peut fort bien verser dans tous les gués.    Enfin la chose
est au point que Mme de Rochefort, qui est chez elle à la
20 campagne, qui brûle d'envie de revenir à Paris, où son mari
la souhaite, et où sa mère l'attend avec une impatience
incroyable, ne peut pas se mettre en chemin, parce qu'il
n'y a pas de sûreté, et qu'il est vrai que cet hiver est
épouvantable.    Il n'a pas gelé un moment, et il a plu tous
25 les jours comme des pluies d'orage.    Il ne passe plus aucun
bateau sous les ponts ; les arches du Pont-Neuf sont quasi
comblées.    Enfin c'est une chose étrange.    Je vous avoue
que l'excès d'un si mauvais temps fait que je me suis oppo-
sée à son départ pendant quelques jours.    Je ne prétends
30 pas qu'elle évite le froid, ni les boues, ni les fatigues du

voyage ; mais je ne veux pas qu'elle soit noyée. Cette raison, quoique très-forte, ne la retiendroit pas présentement,
sans le Coadjuteur qui part avec elle, et qui est engagé de
marier sa cousine d'Harcourt. Cette cérémonie se fait au
Louvre ; M. de Lyonne est le procureur. Le Roi lui a parlé  5
(je dis à M. le Coadjuteur) sur ce sujet. Cette affaire s'est
retardée d'un jour à l'autre, et ne se fera peut-être que dans
huit jours. Cependant je vois ma fille dans une telle impatience de partir, que ce n'est pas vivre que le temps qu'elle
passe ici présentement ; et si le Coadjuteur ne quitte là 10
cette noce, je la vois disposée à faire une folie, qui est de
partir sans lui. Ce seroit une chose si étrange d'aller seule,
et c'est une chose si heureuse pour elle d'aller avec son
beau-frère, que je ferai tous mes efforts pour qu'ils ne se
quittent pas. Cependant les eaux s'écouleront un peu. Je 15
veux vous dire de plus que je ne sens point le plaisir de
l'avoir présentement : je sais qu'il faut qu'elle parte ; ce
qu'elle fait ici ne consiste qu'en devoirs et en affaires. On
ne s'attache à nulle société ; on ne prend aucun plaisir ; on a
toujours le cœur serré ; on ne cesse de parler des chemins, 20
des pluies, des histoires tragiques de ceux qui se sont hasar-
dés. En un mot, quoique je l'aime comme vous savez,
l'état où nous sommes à présent nous pèse et nous ennuie.
Ces derniers jours-ci n'ont aucun agrément. Je vous suis
très-obligée, mon cher Comte, de toutes vos amitiés pour 25
moi, et de toute la pitié que je vous fais. Vous pouvez
mieux que nul autre comprendre ce que je souffre, et ce
que je souffrirai. Je suis fâchée pourtant que la joie que
vous aurez de la voir puisse être troublée par cette pensée.
Voilà les changements et les chagrins dont la vie est mêlée. 30
Adieu, mon très-cher Comte, je vous tue par la longueur de
mes lettres ; j'espère que vous verrez le fonds qui me les
fait écrire.

### 131.—DE MADAME DE SEVIGNE A MADAME DE GRIGNAN.

A PARIS, *vendredi 6ᵉ février* [*1671*].

Ma douleur seroit bien médiocre si je pouvois vous la
dépeindre ; je ne l'entreprendrai pas aussi.   J'ai beau chercher ma chère fille, je ne la trouve plus, et tous les pas
5 qu'elle fait l'éloignent de moi.   Je m'en allai donc à Sainte-
Marie, toujours pleurant et toujours mourant : il me sembloit qu'on m'arrachoit le cœur et l'âme ; et en effet, quelle
rude séparation !   Je demandai la liberté d'être seule ; on
me mena dans la chambre de Mme du Housset, on me fit
10 du feu ; Agnès me regardoit sans me parler, c'étoit notre
marché ; j'y passai jusqu'à cinq heures sans cesser de
sangloter : toutes mes pensées me faisoient mourir.   J'écrivis à M. de Grignan, vous pouvez penser sur quel ton.
J'allai ensuite chez Mme de la Fayette, qui redoubla mes
15 douleurs par la part qu'elle y prit.   Elle étoit seule, et
malade, et triste de la mort d'une sœur religieuse : elle
étoit comme je la pouvois désirer.   M. de la Rochefoucauld
y vint ; on ne parla que de vous, de la raison que j'avois
d'être touchée, et du dessein de parler comme il faut à
20 *Merlusine.*   Je vous réponds qu'elle sera bien relancée.
D'Hacqueville vous rendra un bon compte de cette affaire.
Je revins enfin à huit heures de chez Mme de la Fayette ;
mais en entrant ici, bon Dieu ! comprenez-vous bien ce que
je sentis en montant ce degré ?   Cette chambre où j'entrois
25 toujours, hélas ! j'en trouvai les portes ouvertes ; mais je vis
tout démeublé, tout dérangé, et votre pauvre petite fille qui
me représentoit la mienne.   Comprenez-vous bien tout ce
que je souffris ?   Les réveils de la nuit ont été noirs, et le
matin je n'étois point avancée d'un pas pour le repos de
30 mon esprit.   L'après-dînée se passa avec Mme de la Troche
à l'Arsenal.   Le soir, je reçus votre lettre, qui me remit

dans les premiers transports, et ce soir j'achèverai celle-ci
chez M. de Coulanges, où j'apprendrai des nouvelles ; car
pour moi, voilà ce que je sais, avec les douleurs de tous ceux
que vous avez laissés ici. Toute ma lettre seroit pleine de
compliments, si je voulois.                                            5

*Vendredi au soir.*

J'ai appris chez Mme de Lavardin les nouvelles que je
vous mande ; et j'ai su par Mme de la Fayette qu'ils
eurent hier une conversation avec Merlusine, dont le détail
n'est pas aisé à écrire ; mais enfin elle fut confondue et 10
poussée à bout par l'horreur de son procédé, qui lui fut
reproché sans aucun ménagement. Elle est fort heureuse
du parti qu'on lui offre, et dont elle est demeurée d'accord :
c'est de se taire très-religieusement, et moyennant cela on
ne la poussera pas à bout. Vous avez des amis qui ont 15
pris vos intérêts avec beaucoup de chaleur ; je ne vois que
des gens qui vous aiment et vous estiment, et qui entrent
bien aisément dans ma douleur. Je n'ai voulu aller encore
que chez Mme de la Fayette. On s'empresse fort de me
chercher, et de me vouloir prendre, et je crains cela comme 20
la mort. Je vous conjure, ma chère fille, d'avoir soin de
votre santé : conservez-la pour l'amour de moi, et ne vous
abandonnez pas à ces cruelles négligences, dont il ne me
semble pas qu'on puisse jamais revenir. Je vous embrasse
avec une tendresse qui ne sauroit avoir d'égale, n'en déplaise 25
à toutes les autres.

Le mariage de Mlle d'Houdancourt et de M. de Ventadour a été signé ce matin. L'abbé de Chambonnas a été
nommé aussi ce matin à l'évêché de Lodève. Madame la
Princesse partira le mercredi des Cendres pour Château- 30
roux, où Monsieur le Prince désire qu'elle fasse quelque
séjour. M. de la Marguerie a la place du conseil de M.
d'Estampes qui est mort. Mme de Mazarin arrive ce soir

à Paris ; le Roi s'est déclaré son protecteur, et l'a envoyée
quérir au Lys avec un exempt et huit gardes, et un carrosse
bien attelé.

Voici un trait d'ingratitude qui ne vous déplaira pas, et
5 dont je veux faire mon profit, quand je ferai mon livre sur
les grandes ingratitudes.    Le maréchal d'Albret a convaincu
Mme d'Heudicourt, non-seulement d'une bonne galanterie
avec M. de Béthune, dont il avoit toujours voulu douter ;
mais d'avoir dit de lui et de Mme Scarron tous les maux
10 qu'on peut s'imaginer.    Il n'y a point de mauvais offices
qu'elle n'ait tâché de rendre à l'un et à l'autre, et cela est
tellement avéré, que Mme Scarron ne la voit plus, ni tout
l'hôtel de Richelieu.    Voilà une femme bien abîmée ; mais
elle a cette consolation de n'y avoir pas contribué.


### 136. — DE MADAME DE SEVIGNE A MADAME DE GRIGNAN.

15                         A PARIS, *le mercredi 18ᵉ février [1671].*

Je vous conjure, ma chère bonne, de conserver vos yeux ;
pour les miens, vous savez qu'ils doivent finir à votre service.    Vous comprenez bien, ma belle, que de la manière
dont vous m'écrivez, il faut bien que je pleure en lisant vos
20 lettres.    Pour comprendre quelque chose de l'état où je suis
pour vous, joignez, ma bonne, à la tendresse et à l'inclination
naturelle que j'ai pour votre personne, la petite circonstance
d'être persuadée que vous m'aimez, et jugez de l'excès de
mes sentiments.    Méchante ! pourquoi me cachez-vous quel-
25 quefois de si précieux trésors ?    Vous avez peur que je ne
meure de joie ; mais ne craignez-vous point aussi que je
meure du déplaisir de croire voir le contraire ?    Je prends
d'Hacqueville à témoin de l'état où il m'a vue autrefois.
Mais quittons ces tristes souvenirs, et laissez-moi jouir d'un
30 bien sans lequel la vie m'est dure et fâcheuse ; ce ne sont

point des paroles, ce sont des vérités. Mme de Guénégaud m'a mandé de quelle manière elle vous a vue pour moi : je vous conjure d'en conserver le fond ; mais plus de larmes, je vous en conjure : elles ne vous sont pas si saines qu'à moi. Je suis présentement assez raisonnable ; je me soutiens au besoin, et quelquefois je suis quatre ou cinq heures tout comme une autre ; mais peu de chose me remet à mon premier état : un souvenir, un lieu, une parole, une pensée un peu trop arrêtée, vos lettres surtout, les miennes même en les écrivant, quelqu'un qui me parle de vous, voilà des écueils à ma constance, et ces écueils se rencontrent souvent. J'ai vu Raymond chez la comtesse du Lude ; elle me chanta un nouveau récit du ballet, il est admirable ; mais si vous voulez qu'on le chante, chantez-le. Je vois Mme de Villars, je m'y plais, parce qu'elle entre dans mes sentiments ; elle vous dit mille amitiés. Mme de la Fayette comprend aussi fort bien les tendresses que j'ai pour vous ; elle est touchée de l'amitié que vous me témoignez. Je suis assez souvent dans ma famille, quelquefois ici le soir par lassitude, mais rarement.

J'ai vu cette pauvre Mme Amelot ; elle pleure bien, je m'y connois. Faites quelque mention de certaines gens dans vos lettres, afin que je leur puisse dire. J'ai vu une unique fois les Verneuil et les Arpajon. Je vais aux sermons des Mascaron et des Bourdaloue ; ils se surpassent à l'envi.

Voilà bien de mes nouvelles ; j'ai fort envie de savoir des vôtres, et comme vous vous serez trouvée à Lyon ; si vous y avez été belle, et quelle route vous aurez prise ; si vous y aurez dit l'oraison pour M. le marquis, et si elle aura été heureuse pour votre embarquement. Pour vous dire le vrai, je ne pense à nulle autre chose. Je sais votre route, et où vous avez couché tous les jours : vous étiez dimanche à Lyon ; vous auriez bien fait de vous y reposer quelques

jours.    Vous m'avez donné envie de m'enquérir de la mas-
carade du mardi gras : j'ai su qu'un grand homme, plus
grand de trois doigts qu'un autre, avoit fait faire un habit
admirable ; il ne vouloit point le mettre, et il se trouva ha-
5 sardeusement qu'une dame qu'il ne connoît point du tout, à
qui il n'a jamais parlé, n'étoit point à l'assemblée.    Du reste,
il faut que je dise comme Voiture : personne n'est encore
mort de votre absence, hormis moi.    Ce n'est pas que le
carnaval n'ait été d'une tristesse excessive, vous pouvez
10 vous en faire honneur ; pour moi, j'ai cru que c'étoit à
cause de vous ; mais ce n'est point assez pour une absence
comme la vôtre.    J'envoie pour cette fois cette lettre en
Provence ; j'embrasse M. de Grignan, et je meurs d'envie
de savoir de vos nouvelles.    Dès que j'ai reçu une lettre,
15 j'en voudrois tout à l'heure une autre, je ne respire que d'en
recevoir.

Vous me dites des merveilles du tombeau de M. de Montmorency, et de la beauté de Mlles de Valençay.    Vous
écrivez extrêmement bien, personne n'écrit mieux : ne
20 quittez jamais le naturel, votre tour s'y est formé, et cela
compose un style parfait.    J'ai fait vos compliments à M. de
la Rochefoucauld et à Mme de la Fayette et à Langlade : tout
cela vous estime, vous aime et vous sert en toute occasion.
Pour d'Hacqueville, nous ne parlons que de vous.    J'ai ri
25 de votre folie sur la confiance ; je la comprends bien : mais
quel hasard, et que cela est malheureux, qu'il se soit trouvé
que tout ce que vous avez voulu savoir du Coadjuteur et lui
de vous ait été précisément des choses dont vous n'étiez
point les maîtres !    Vos chansons m'ont paru jolies ; j'en ai
30 reconnu les styles.

Ah ! ma bonne, que je voudrois bien vous voir un peu,
vous entendre, vous embrasser, vous voir passer, si c'est
trop que le reste !    Hé bien, par exemple, voilà de ces
pensées à quoi je ne résiste pas.    Je sens qu'il m'ennuie

de ne vous plus avoir: cette séparation me fait une douleur au cœur et à l'âme, que je sens comme un mal du
corps. Je ne puis assez vous remercier de toutes les
lettres que vous m'avez écrites sur le chemin: ces soins
sont trop aimables, et font bien leur effet aussi ; rien n'est 5
perdu avec moi. Vous m'avez écrit de partout; j'ai admiré
votre bonté ; cela ne se fait point sans beaucoup d'amitié ;
sans cela on seroit plus aise de se reposer et de se coucher; ce m'a été une consolation grande. L'impatience
que j'ai d'en avoir encore et de Rouane et de Lyon et de 10
votre embarquement, n'est pas médiocre ; et si vous avez
descendu au Pont, et de votre arrivée à Arles, et comme
vous avez trouvé ce furieux Rhône en comparaison de notre
pauvre Loire, à qui vous avez tant fait de civilités. Que vous
êtes honnête de vous en être souvenue comme d'une de vos 15
anciennes amies ! Hélas ! de quoi ne me souviens-je point?
Les moindres choses me sont chères ; j'ai mille *dragons*.
Quelle différence ! je ne revenais jamais ici sans impatience
et sans plaisir : présentement j'ai beau chercher, je ne vous
trouve plus ; mais comment peut-on vivre quand on sait que 20
quoi qu'on fasse, on ne retrouvera plus une si chère enfant ?
Je vous ferai bien voir si je la souhaite, par le chemin que
je ferai pour la retrouver. J'ai reçu une lettre de M. de
Grignan. Il n'y en a point pour vous. Il me mande qu'il
reviendra cet hiver : vous quittera-t-il, ou le suivrez-vous? 25
Mais dans cette incertitude louerai-je votre appartement ?
On est tous les jours sur le point d'en conclure le marché.
Faites-moi réponse.

Monsieur le Dauphin étoit malade, il se porte mieux. On
sera à Versailles jusqu'à lundi. Mme de la Vallière est toute 30
rétablie à la cour. Le Roi la reçut avec des larmes de joie,
et Mme de Montespan avec des larmes . . . devinez de
quoi. L'on a eu avec l'une et l'autre des conversations
tendres: tout cela est difficile à comprendre, il faut se taire.

Les nouvelles de cette année ne tiennent pas d'un ordinaire
à l'autre.

Mme de Verneuil, Mme d'Arpajon, Mmes de Villars, de
Saint-Géran, M. de Guitaut, sa femme, la Comtesse, M. de
5 la Rochefoucauld, M. de Langlade, Mme de la Fayette,
ma tante, ma cousine, mes oncles, mes cousins, mes cousines, Mme de Vauvineux, tout cela vous baise les mains
mille et mille fois.

Je vois tous les jours votre fille, ce qui s'appelle à l'âtre.
10 Je veux qu'elle soit droite, voilà mon soin : cela seroit plaisant d'être votre fille et de M. de Grignan, et qu'elle ne fût
pas bien faite.   Je suis habile, j'ai même des précautions
inutiles.

Je vis hier Mme du Puy-du-Fou, qui vous salue ; j'ai vu
15 aussi Mme de Janson et une Mme le Blanc.   Ce qui a
rapport à vous de cent lieues loin m'est plus agréable
qu'autre chose.   Mon Dieu ! le Rhône ! vous y êtes présentement.   Je ne pense à autre chose ! J'embrasse vos pauvres filles.

141. — DE MADAME DE SEVIGNE A MADAME DE
GRIGNAN.

20                                      *Mercredi, [3e mars 1671].*

Ah ! ma bonne, quelle peinture de l'état où vous avez été !
et que je vous aurois mal tenu ma parole, si je vous avois
promis de n'être point effrayée d'un si grand péril !   Mais
il est impossible de se représenter votre vie si proche de sa
25 fin, sans frémir.   Ce Rhône qui fait peur à tout le monde,
ce pont d'Avignon où l'on a tort de passer même après avoir
pris toutes ses mesures ! un tourbillon de vent vous jette
violemment sous une arche.   Par quel miracle n'avez-vous
pas été brisés et noyés dans un moment ? et M. de Grignan
30 vous laisse embarquer pendant un orage ; et quand vous
êtes téméraire, il trouve plaisant de l'être encore plus que

vous ; au lieu de vous faire attendre que l'orage soit passé, il veut bien vous exposer. Ah mon Dieu ! qu'il eût été bien mieux d'être timide, et de vous dire que si vous n'aviez point de peur, il en avoit lui, et de ne point souffrir que vous traversassiez le Rhône par un temps comme celui qu'il faisoit ! 5 Que j'ai de peine à comprendre sa tendresse en cette occasion ! Je ne soutiens pas cette pensée, j'en frissonne, et je m'en suis réveillée avec des sursauts dont je ne suis pas la maîtresse. Trouvez-vous toujours que le Rhône ne soit que de l'eau ? De bonne foi, n'avez-vous point été effrayée 10 d'une mort si proche et si inévitable ? Mais encore serois-je un peu consolée si cela vous rendoit moins hasardeuse à l'avenir, et si une aventure comme celle-là vous faisoit voir les dangers comme ils sont. Je vous prie de m'avouer ce qui vous en est resté ; je crois du moins que vous avez rendu 15 grâces à Dieu de vous avoir sauvée. Pour moi, je suis persuadée que les messes que j'ai fait dire tous les jours pour vous ont fait ce miracle, et je suis plus obligée à Dieu de vous avoir conservée dans cette occasion, que de m'avoir fait naître.

C'est à M. de Grignan que je m'en prends. Le Coadju- 20 teur a bon temps : il n'a été grondé que pour la montagne de Tarare ; elle me paroît présentement comme les pentes de Nemours. M. Busche m'est venu voir tantôt, j'ai pensé l'embrasser en songeant comme il vous a bien menée ; je l'ai fort entretenu de vos faits et gestes, et puis je lui ai 25 donné de quoi boire un peu à ma santé. Cette lettre vous paroîtra bien ridicule ; vous la recevrez dans un temps où vous ne songerez plus au pont d'Avignon. Faut-il que j'y pense, moi, présentement ? C'est le malheur des commerces si éloignés ; il faut s'y résoudre, et ne pas même se révolter 30 contre cet inconvénient : cela est naturel, et la contrainte seroit trop grande d'étouffer toutes ses pensées. Il faut entrer dans l'état naturel où l'on est, en répondant à une chose qui tient au cœur : vous serez donc obligée de m'ex-

cuser souvent. J'attends des relations de votre séjour à
Arles ; je sais que vous y aurez trouvé bien du monde. Ne
m'aimez-vous point de vous avoir appris l'italien ? Voyez
comme vous vous en êtes bien trouvée avec ce vice-légat :
5 ce que vous dites de cette scène est excellent ; mais que
j'ai peu goûté le reste de votre lettre ! Je vous épargne
mes éternels recommencements sur ce pont d'Avignon : je
ne l'oublierai de ma vie.


150.—DE MADAME DE SEVIGNE A MADAME DE
GRIGNAN.

A PARIS, *mercredi 1er avril* [*1671*].

10     Je revins hier de Saint-Germain. J'étois avec Mme d'Arpajon. Le nombre de ceux qui me demandèrent de vos
nouvelles est aussi grand que celui de tous ceux qui com-
posent la cour. Je pense qu'il est bon de distinguer la
Reine, qui fit un pas vers moi, et me demanda des nouvelles
15 de ma fille, et qu'elle avoit ouï dire que vous aviez pensé
vous noyer. Je la remerciai de l'honneur qu'elle vous faisoit
de se souvenir de vous. Elle reprit la parole, et me dit :
"Contez-moi comme elle a pensé périr." Je me mis à lui
conter cette belle hardiesse de vouloir traverser le Rhône
20 par un grand vent, et que ce vent vous avoit jetée rapidement
sous une arche, à deux doigts du pilier, où vous auriez péri
mille fois, si vous y aviez touché. Elle me dit : "Et son mari
étoit-il avec elle ? — Oui, Madame, et Monsieur le Coadjuteur
aussi.—Vraiment ils ont grand tort," et fit des hélas, et dit
25 des choses très-obligeantes pour vous. Il vint ensuite bien
des duchesses, entre autres la jeune Ventadour, très-belle
et jolie. On fut quelques moments sans lui apporter ce
divin tabouret. Je me tournai vers le grand maître, et je
dis : "Hélas ! que l'on le lui donne, il lui coûte assez cher."
30 Il fut de mon avis.

Au milieu du silence du cercle, la Reine se tourne, et me
dit : " A qui ressemble votre petite-fille ? " — "Madame, lui
dis-je, elle ressemble à M. de Grignan." Elle fit un cri :
" J'en suis fâchée," et me dit doucement : " Elle auroit mieux
fait de ressembler à sa mère ou à sa grand'mère." Voilà 5
comme vous me faites faire ma cour, ma pauvre bonne.

Le maréchal de Bellefonds m'a fait promettre de le tirer de
la presse. M. et Mme de Duras, à qui j'ai fait vos compliments, MM. de Charost et de Montausier, et *tutti quanti*, vous
les rendent au centuple. J'ai donné votre lettre à Monsieur 10
de Condom. J'oubliois Monsieur le Dauphin et Mademoiselle. Je lui ai parlé de Segrais, à la romaine, prenant son
parti ; mais elle n'est pas traitable sur ce qui touche à neuf
cents lieues près de la vue d'un certain cap, d'où l'on
découvre les terres de Micomicon. J'ai vu Mme de Ludres ; 15
elle me vint aborder avec une surabondance d'amitié qui me
surprit ; elle me parla de vous sur le même ton ; et puis
tout d'un coup, comme je pensois lui répondre, je trouvai
qu'elle ne m'écoutoit plus, et que ses beaux yeux trottoient
par la chambre : je le vis promptement, et ceux qui virent 20
que je le voyois me surent bon gré de l'avoir vu, et se mirent
à rire. Elle a été plongée dans la mer, la mer l'a vue toute
nue, et sa fierté en est augmentée : j'entends de la mer ; car
pour la belle, elle en est fort humiliée.

Les coiffures hurlubrelu m'ont fort diverti, il y en a que 25
l'on voudroit souffleter. La Choiseul ressembloit, comme
dit Ninon, à un printemps d'hôtellerie, comme deux gouttes
d'eau : cette comparaison est excellente. Mais qu'elle est
dangereuse, cette Ninon ! Si vous saviez comme elle dog-
matise sur la religion, cela vous feroit horreur. Son zèle 30
pour pervertir les jeunes gens est pareil à celui d'un certain
M. de Saint-Germain, que nous avons vu une fois à Livry.
Elle trouve que votre frère a la simplicité de la colombe ; il
ressemble à sa mère. C'est Mme de Grignan qui a tout le

sel de la maison, et qui n'est pas si sotte que d'être dans
cette docilité.   Quelqu'un pensa prendre votre parti, et voulut lui ôter l'estime qu'elle a pour vous : elle le fit taire, et
dit qu'elle en savoit plus que lui.   Quelle corruption ! Quoi !
5 parce qu'elle vous trouve belle et spirituelle, elle veut joindre à cela cette autre bonne qualité, sans laquelle, selon
ses maximes, on ne peut être parfaite !   Je suis vivement
touchée du mal qu'elle fait à mon fils sur ce chapitre : ne
lui en mandez rien ; nous faisons nos efforts, Mme de la Fay-
10 ette et moi, pour le dépêtrer d'un engagement si dangereux.
Il a de plus une petite comédienne, et les Despréaux et les
Racine avec elle ; ce sont des soupers délicieux, c'est-à-dire
des diableries.   Il s'étourdit sur les sermons du P. Mascaron ; il lui faudroit votre minime.   Je n'ai jamais rien vu
15 de si plaisant que ce que vous m'écrivez là-dessus : je l'ai lu
à M. de la Rochefoucauld ; il en a ri de tout son cœur.   Il
vous mande qu'il y a un certain apôtre qui court après sa
côte, et qui voudroit bien se l'approprier comme son bien ;
mais il n'a pas l'art de suivre les grandes entreprises.   Je
20 pense que Merlusine est dans un trou ; nous n'en entendons
pas dire un seul mot.   Il vous dit encore que s'il avoit
seulement trente ans de moins que ce qu'il a, il en voudroit fort à la troisième côte de M. de Grignan.   L'endroit où vous dites qu'il a deux côtes rompues le fit éclater.
25 Nous vous souhaitons toujours quelque sorte de folie qui
vous divertisse ; mais nous craignons bien que celle-là n'ait
été meilleure pour nous que pour vous.   Après tout, nous
vous plaignons de n'entendre parler de Dieu que de cette
sorte.   Ah ! le Bourdaloue.   Il fit, à ce qu'on m'a dit,
30 une Passion plus parfaite que tout ce qu'on peut imaginer :
c'étoit celle de l'année passée, qu'il avoit rajustée, selon ce
que ses amis lui avoient conseillé, afin qu'elle fût inimitable.
Comment peut-on aimer Dieu, quand on n'en entend jamais
bien parler ?   Il vous faut des grâces plus particulières

qu'aux autres.   Nous entendîmes l'autre jour l'abbé de
Montmor ; je n'ai jamais ouï un si beau jeune sermon ; je
vous en souhaiterois autant à la place de votre minime.   Il
fit le signe de la croix, il dit son texte ; il ne nous gronda
point, il ne nous dit point d'injures ; il nous pria de ne point   5
craindre la mort, puisqu'elle étoit le seul passage que nous
eussions pour ressusciter avec Jésus-Christ.   Nous le lui
accordâmes ; nous fûmes tous contents.   Il n'a rien qui
choque : il imite Monsieur d'Agen sans le copier ; il est
hardi, il est modeste, il est savant, il est dévot ; enfin j'en   10
fus contente au dernier point.

Mme de Vauvineux vous rend mille grâces ; sa fille a été
très-mal.   Mme d'Arpajon vous embrasse mille fois, et surtout M. le Camus vous adore ; et moi, ma pauvre bonne,
que pensez-vous que je fasse ?   Vous aimer, penser à vous,   15
m'attendrir à tout moment plus que je ne voudrois, m'oc-
cuper de vos affaires, m'inquiéter de ce que vous pensez ;
sentir vos ennuis et vos peines, les vouloir souffrir pour
vous, s'il étoit possible ; écumer votre cœur, comme j'écu-
mois votre chambre des fâcheux dont je la voyois remplie ;   20
en un mot, ma bonne, comprendre vivement ce que c'est que
d'aimer quelqu'un plus que soi-même : voilà comme je suis.
C'est une chose qu'on dit souvent en l'air ; on abuse de cette
expression.   Moi je la répète, et sans la profaner jamais, je
la sens tout entière en moi, et cela est vrai.   25

Je reçois, ma bonne, votre grande et très-aimable lettre
du 24ᵉ.   M. de Grignan est plaisant de croire qu'on ne les
lit qu'avec peine ; il se fait tort.   Veut-il que nous croyions
qu'il n'a pas toujours lu les vôtres avec transport ?   Si cela
n'étoit pas, il en étoit bien indigne.   Pour moi, je les aime   30
jusqu'à la folie ; je les lis et les relis ; elles me réjouissent le
cœur ; elles me font pleurer ; elles sont écrites à ma fantaisie.
Une seule chose ne va pas bien : il n'y a pas de raison à
toutes les louanges que vous me donnez ; il n'y en a point

aussi à la longueur de cette lettre ; il faut la finir, et mettre
des bornes à ce qui n'en auroit point, si je me croyois.
Adieu, ma très-aimable bonne, comptez bien sur ma tendresse, qui ne finira jamais.

●

160. — DE MADAME DE SEVIGNE A MADAME DE GRIGNAN.

A Paris, *ce vendredi au soir, 24e avril* [*1671*],
(chez M. de la Rochefoucauld).

Je fais donc ici mon paquet. J'avois dessein de vous
conter que le Roi arriva hier au soir à Chantilly. Il courut
un cerf au clair de la lune ; les lanternes firent des merveilles ; le feu d'artifice fut un peu effacé par la clarté de
notre amie ; mais enfin le soir, le souper, le jeu, tout alla
à merveille. Le temps qu'il a fait aujourd'hui nous faisoit
espérer une suite digne d'un si agréable commencement.
Mais voici ce que j'apprends en entrant ici, dont je ne
puis me remettre, et qui fait que je ne sais plus ce que je
vous mande : c'est qu'enfin Vatel, le grand Vatel, maître
d'hôtel de M. Foucquet, qui l'étoit présentement de Monsieur le Prince, cet homme d'une capacité distinguée de
toutes les autres, dont la bonne tête étoit capable de soutenir
tout le soin d'un État ; cet homme donc que je connois-
sois, voyant à huit heures, ce matin, que la marée n'étoit
point arrivée, n'a pu souffrir l'affront qu'il a vu qui l'alloit
accabler, et en un mot, il s'est poignardé. Vous pouvez
penser l'horrible désordre qu'un si terrible accident a causé
dans cette fête. Songez que la marée est peut-être ensuite
arrivée comme il expiroit. Je n'en sais pas davantage présentement : je pense que vous trouverez que c'est assez. Je
ne doute pas que la confusion n'ait été grande ; c'est une
chose fâcheuse à une fête de cinquante mille écus.

M. de Menars épouse Mlle de la Grange-Neuville. Je ne
sais comme j'ai le courage de vous parler d'autre chose
que de Vatel.

## 161.— DE MADAME DE SEVIGNE A MADAME DE GRIGNAN.

A Paris, *ce dimanche 26e avril* [*1671*].

Il est dimanche 26e avril ; cette lettre ne partira que mercredi ; mais ceci n'est pas une lettre, c'est une relation que vient de me faire Moreuil, à votre intention, de ce qui s'est passé à Chantilly touchant Vatel. Je vous écrivis 5 vendredi qu'il s'étoit poignardé : voici l'affaire en détail. Le Roi arriva jeudi au soir ; la chasse, les lanternes, le clair de la lune, la promenade, la collation dans un lieu tapissé de jonquilles, tout cela fut à souhait. On soupa : il y eut quelques tables où le rôti manqua, à cause de plu- 10 sieurs dîners où l'on ne s'étoit point attendu ; cela saisit Vatel ; il dit plusieurs fois : "Je suis perdu d'honneur ; voici un affront que je ne supporterai pas." Il dit à Gourville : "La tête me tourne, il y a douze nuits que je n'ai dormi ; aidez-moi à donner des ordres." Gourville le soulagea en ce 15 qu'il put. Ce rôti qui avoit manqué, non pas à la table du Roi, mais aux vingt-cinquièmes, lui revenoit toujours à la tête. Gourville le dit à Monsieur le Prince. Monsieur le Prince alla jusque dans sa chambre, et lui dit : "Vatel, tout va bien, rien n'étoit si beau que le souper du Roi." 20 Il lui dit : "Monseigneur, votre bonté m'achève ; je sais que le rôti a manqué à deux tables." — "Point du tout, dit Monsieur le Prince, ne vous fâchez point, tout va bien." La nuit vient : le feu d'artifice ne réussit pas, il fut couvert d'un nuage ; il coûtait seize mille francs. A quatre heures du 25 matin, Vatel s'en va partout, il trouve tout endormi, il rencontre un petit pourvoyeur qui lui apportoit seulement deux charges de marée ; il lui demande : "Est-ce là tout ?" Il lui dit : "Oui, Monsieur." Il ne savoit pas que Vatel avoit envoyé à tous les ports de mer. Il attend quelque temps ; 30 les autres pourvoyeurs ne viennent point ; sa tête s'échauf-

foit, il croit qu'il n'aura point d'autre marée ; il trouve
Gourville, et lui dit : " Monsieur, je ne survivrai point à
cet affront-ci ; j'ai de l'honneur et de la réputation à
perdre." Gourville se moqua de lui. Vatel monte à sa
5 chambre, met son épée contre la porte, et se la passe au
travers du cœur ; mais ce ne fut qu'au troisième coup, car
il s'en donna deux qui n'étoient pas mortels : il tombe
mort. La marée cependant arrive de tous côtés ; on
cherche Vatel pour la distribuer ; on va à sa chambre ; on
10 heurte, on enfonce la porte ; on le trouve noyé dans son
sang ; on court à Monsieur le Prince, qui fut au désespoir.
Monsieur le Duc pleura : c'étoit sur Vatel que rouloit tout
son voyage de Bourgogne. Monsieur le Prince le dit au
Roi fort tristement : on dit que c'étoit à force d'avoir
15 de l'honneur à sa manière ; on le loua fort, on loua et
blâma son courage. Le Roi dit qu'il y avoit cinq ans qu'il
retardoit de venir à Chantilly, parce qu'il comprenoit l'excès
de cet embarras. Il dit à Monsieur le Prince qu'il ne devoit
avoir que deux tables, et ne se point charger de tout le
20 reste. Il jura qu'il ne souffriroit plus que Monsieur le
Prince en usât ainsi ; mais c'étoit trop tard pour le pauvre
Vatel. Cependant Gourville tâche de réparer la perte de
Vatel ; elle le fut : on dîna très-bien, on fit collation, on
soupa, on se promena, on joua, on fut à la chasse ; tout
25 étoit parfumé de jonquilles, tout était enchanté. Hier, qui
étoit samedi, on fit encore de même ; et le soir le Roi alla
à Liancourt, où il avait commandé un *medianoche ;* il y doit
demeurer aujourd'hui. Voilà ce que m'a dit Moreuil, pour
vous mander. Je jette mon bonnet par-dessus le moulin, et
30 je ne sais rien du reste. M. d'Hacqueville, qui étoit à tout
cela, vous fera des relations sans doute ; mais comme son
écriture n'est pas si lisible que la mienne, j'écris toujours.
Voilà bien des détails, mais parce que je les aimerois en
pareille occasion, je vous les mande.

172.—DE MADAME DE SEVIGNE A MADAME DE
GRIGNAN.

Aux Rochers, *dimanche 31e mai [1671]*.

Enfin, ma fille, nous voici dans ces pauvres Rochers. Quel
moyen de revoir ces allées, ces devises, ce petit cabinet,
ces livres, cette chambre, sans mourir de tristesse ? Il y a
des souvenirs agréables ; mais il y en a de si vifs et de si 5
tendres, qu'on a peine à les supporter : ceux que j'ai de
vous sont de ce nombre. Ne comprenez-vous point bien
l'effet que cela peut faire dans un cœur comme le mien ?

Si vous continuez de vous bien porter, ma chère enfant,
je ne vous irai voir que l'année qui vient : la Bretagne et 10
la Provence ne sont pas compatibles. C'est une chose
étrange que les grands voyages : si l'on étoit toujours
dans le sentiment qu'on a quand on arrive, on ne sortiroit
jamais du lieu où l'on est ; mais la Providence fait qu'on
oublie ; c'est la même qui sert aux femmes qui sont accou- 15
chées. Dieu permet cet oubli, afin que le monde ne finisse
pas, et que l'on fasse des voyages en Provence. Celui que
j'y ferai me donnera la plus grande joie que je puisse
recevoir dans ma vie ; mais quelles pensées tristes de
ne voir point de fin à votre séjour ! J'admire et je loue 20
de plus en plus votre sagesse. Quoique, à vous dire le vrai,
je sois fortement touchée de cette impossibilité, j'espère
qu'en ce temps-là nous verrons les choses d'une autre
manière ; il faut bien l'espérer, car sans cette consolation,
il n'y auroit qu'à mourir. J'ai quelquefois des rêveries 25
dans ces bois, d'une telle noirceur, que j'en reviens plus
changée que d'un accès de fièvre.

Il me paroît que vous ne vous êtes point ennuyée à Marseille. Ne manquez pas de me mander comme vous aurez
été reçue à Grignan. Ils avoient fait ici une manière d'entrée 30

à mon fils.   Vaillant avoit mis plus de quinze cents hommes
sous les armes, tous fort bien habillés, un ruban neuf à la
cravate.   Ils vont en très-bon ordre nous attendre à une lieue
des Rochers.   Voici un bel incident : Monsieur l'abbé avait
5 mandé que nous arriverions le mardi, et puis tout d'un coup
il l'oublie ; ces pauvres gens attendent le mardi jusqu'à dix
heures du soir ; et quand ils sont tous retournés chacun
chez eux, bien tristes et bien confus, nous arrivons paisible-
ment le mercredi, sans songer qu'on eût mis une armée
10 en campagne pour nous recevoir.   Ce contre-temps nous
a fâchés ; mais quel remède ?   Voilà par où nous avons
débuté.   Mlle du Plessis est tout justement comme vous
l'avez laissée ; elle a une nouvelle amie à Vitré, dont elle
se pare, parce que c'est un bel esprit qui a lu tous les
15 romans, et qui a reçu deux lettres de la princesse de Tarente.   J'ai fait dire méchamment par Vaillant que j'étois
jalouse de cette nouvelle amitié, que je n'en témoignerois
rien, mais que mon cœur étoit saisi : tout ce qu'elle a dit
là-dessus est digne de Molière.   C'est une plaisante chose
20 de voir avec quel soin elle me ménage, et comme elle dé-
tourne adroitement la conversation pour ne point parler
de ma rivale devant moi : je fais aussi fort bien mon
personnage.

Mes petits arbres sont d'une beauté surprenante.   Pilois
25 les élève jusques aux nues avec une probité admirable.
Tout de bon, rien n'est si beau que ces allées que vous
avez vues naître.   Vous savez que je vous donnai une manière de devise qui vous convenoit.   Voici un mot que j'ai
écrit sur un arbre pour mon fils qui est revenu de Candie,
30 *vago di fama :* n'est-il point joli pour n'être qu'un mot ?
Je fis écrire hier encore, en l'honneur des paresseux, *bella
cosa far niente.*

Hélas, ma fille, que mes lettres sont sauvages !   Où est
le temps que je parlois de Paris comme les autres ?   C'est

purement de mes nouvelles que vous aurez ; et voyez ma
confiance, je suis persuadée que vous aimez mieux celles-là
que les autres.   La compagnie que j'ai ici me plaît fort ;
notre abbé est toujours plus admirable ; mon fils et la
Mousse s'accommodent fort bien de moi, et moi d'eux ; 5
nous nous cherchons toujours ; et quand les affaires me
séparent d'eux, ils sont au désespoir, et me trouvent ridicule de préférer un compte de fermier aux contes de la
Fontaine.   Ils vous aiment tous passionnément ; je crois
qu'ils vous écriront : pour moi, je prends les devants, et 10
n'aime point à vous parler en tumulte.    Ma fille, aimez-moi
donc toujours : c'est ma vie, c'est mon âme que votre
amitié ; je vous le disois l'autre jour, elle fait toute ma joie
et toutes mes douleurs.   Je vous avoue que le reste de ma
vie est couvert d'ombre et de tristesse, quand je songe que 15
je la passerai si souvent éloignée de vous.

## 178. — DE MADAME DE SEVIGNE A MADAME DE GRIGNAN.

AUX ROCHERS, *mercredi 24e juin, au coin de mon feu* [*1671*].

Je ne vous parlerai plus du temps ; je serois aussi ennuyeuse
que lui, si je ne finissois ce chapitre :

> Qu'il soit beau, qu'il soit laid, je n'en veux plus rien dire ;   20
> J'en ai fait vœu, etc.

Je n'ai point eu de vos lettres cette semaine, ma chère fille ;
mais je n'en ai point été en peine, parce que vous m'aviez
mandé que vous ne m'écririez pas.   J'en attends donc de
Grignan avec patience ; mais pour l'autre semaine, où 25
je n'étois point préparée, je vous avoue que le malen-
tendu qui me retint vos lettres me donna une violente
inquiétude.   J'en ai bien importuné le pauvre d'Hacqueville,
et vous-même, ma fille : je m'en repens, et voudrois ne

l'avoir pas fait ; mais je suis naturelle, et quand mon cœur
est en presse, je ne puis m'empêcher de me plaindre à
ceux que j'aime bien : il faut pardonner ces sortes de foi-
blesses.     Comme disoit un jour Mme de la Fayette, a-t-on
5 gagé d'être parfaite ?     Non assurément ; et si j'avois fait
cette gageure, j'y aurois bien perdu mon argent.     J'ai eu
ici deux soirs M. de Coëtquen, à trois jours l'un de l'autre :
il alloit affermer une terre à trois lieues d'ici ; et pour la
hausser de cinquante francs, il a dépensé cent pistoles dans
10 son voyage.     Il m'a fort demandé de vos nouvelles et de
celles de M. de Grignan.     En parlant des gens adroits et de
belle taille, il le nomma le plus naturellement du monde :
je vous prie de me mander s'il est toujours digne qu'on le
mette au premier rang des gens adroits.     Nous trouvâmes
15 votre procession admirable : je ne crois pas qu'il y en ait
une en France qui lui ressemble.     Mes allées sont d'une
beauté extrême ; je vous les souhaite quelquefois pour
servir de promenade à votre grand château.     Mon fils est
encore ici, et ne s'y ennuie point du tout : j'aurois plusieurs
20 choses à vous dire sur son chapitre, mais ce sera pour un
autre temps.     Nous avons eu de vilains bohêmes qui nous
ont fait mal au cœur.     *Ils ne danseriont ma foi, Madame, non*
*plus, ne vous déplaise, sauf le respect qui est dû à Votre Gran-*
*deur*, non plus que des balles de laine.     Voilà ce que dit une
25 de leurs femmes, qui étoit en colère contre la moitié de sa
compagnie.

J'ai retrouvé ici le dialogue que vous fîtes un jour avec
Pomenars : nous en avons ri aux larmes.     Pomenars peut
se faire raser au moins d'un côté, il est hors de l'affaire de
30 son enlèvement ; il n'a plus que le courant de sa fausse
monnoie, dont il ne se met guère en peine.     Que vous dirai-je
encore, ma très-chère ?     Il y a peu de choses dont on puisse
parler à cœur ouvert de trois cents lieues.     Une conversation dans le mail me seroit bien nécessaire : c'est un lieu

admirable pour discourir, quand on a le cœur comme je
l'ai. Je ne veux point vous parler de la tendresse vive et
naturelle que j'ai pour vous, ce chapitre seroit ennuyeux.
Adieu donc, ma très-aimable enfant. Notre abbé vous adore
toujours. J'attends avec une grande impatience des nou-  5
velles de votre voyage et de vos affaires ; j'y prends un
extrême intérêt. J'embrasse M. de Grignan.


183.— DE MADAME DE SEVIGNE A MADAME DE
GRIGNAN.

AUX ROCHERS, *dimanche 12e juillet* [*1671*].

Je n'ai reçu qu'une lettre de vous, ma chère bonne, et
j'en suis fâchée : j'étois accoutumée à en recevoir deux. Il  10
est dangereux de s'accoutumer à des soins tendres et précieux comme les vôtres ; il n'est pas facile après cela de
s'en passer. Vous aurez vos beaux-frères ce mois de septembre, ce vous sera une très-bonne campagnie. Pour le
Coadjuteur, je vous dirai qu'il a été un peu malade ; mais  15
il est entièrement guéri : sa paresse est une chose incroyable, et il est d'autant plus criminel qu'il écrit des mieux
quand il s'en veut mêler. Il vous aime toujours, et vous ira
voir après la mi-août ; il ne le peut qu'en ce temps-là. Il
jure qu'il n'a aucune branche où se reposer (mais je crois  20
qu'il ment), et que cela l'empêche d'écrire et lui fait mal aux
yeux. Voilà tout ce que je sais du Seigneur Corbeau ; mais
admirez la bizarrerie de ma science : en vous apprenant
toutes ces choses, j'ignore comme je suis avec lui. Si vous
en apprenez quelque chose par hasard, vous m'obligerez fort  25
de me le mander.

Je songe mille fois le jour au temps où je vous voyois à
toute heure. Hélas ! ma bonne, c'est bien moi qui dis cette
chanson que vous me dites : *Hélas ! quand reviendra-t-il ce
temps, bergère?* Je le regrette tous les jours de ma vie, et  30

j'en souhaiterois un pareil au prix de mon sang. Ce n'est
pas que j'aie sur le cœur de n'avoir pas senti le plaisir d'être
avec vous : je vous jure et je vous proteste que je ne vous ai
jamais regardée avec indifférence ni avec la langueur que
5 donne quelquefois l'habitude. Mes yeux ni mon cœur ne se
sont jamais accoutumés à cette vue, et jamais je ne vous ai
regardée sans joie et sans tendresse ; et s'il y a eu quelques
moments où elle n'ait pas paru, c'est alors que je la sentois
plus vivement. Ce n'est donc point cela que je puis me
10 reprocher ; mais je regrette de ne vous avoir pas assez vue,
et d'avoir eu de cruelles politiques qui m'ont ôté quelquefois
ce plaisir. Ce seroit une belle chose si je remplissois mes
lettres de ce qui me remplit le cœur. Hélas ! comme vous
dites, il faut glisser sur bien des pensées, et ne pas faire sem-
15 blant de les voir ; je crois que vous en faites de même.

    Avez-vous la cruauté de ne point achever Tacite ? Lais-
serez-vous Germanicus au milieu de ses conquêtes ? Si vous
lui faites ce tour, mandez-moi l'endroit où vous serez demeurée, et je l'achèverai : c'est tout ce que je puis faire pour
20 votre service. Nous achevons le Tasse avec plaisir, nous y
trouvons des beautés qu'on ne voit point quand on n'a
qu'une demi-science. Nous avons commencé la *Morale*,
c'est de la même étoffe que Pascal. A propos de Pascal, je
suis en fantaisie d'admirer l'honnêteté de ces messieurs les
25 postillons, qui sont incessamment sur les chemins pour
porter et reporter nos lettres ; enfin, il n'y a jour dans la
semaine qu'ils n'en portent quelqu'une à vous et à moi ; il
y en a toujours et à toutes les heures par la campagne :
les honnêtes gens ! qu'ils sont obligeants ! et que c'est une
30 belle invention que la poste, et un bel effet de la Providence
que la cupidité ! J'ai quelquefois envie de leur écrire pour
leur témoigner ma reconnoissance, et je crois que je l'aurois
déjà fait, sans que je me souviens de ce chapitre de Pascal,
et qu'ils ont peut-être envie de me remercier de ce que

j'écris, comme j'ai envie de les remercier de ce qu'ils portent mes lettres : voilà une belle digression.

Je reviens à nos lectures, et sans préjudice de *Cléopâtre* que j'ai gagé d'achever : vous savez comme je soutiens mes gageures. Je songe quelquefois d'où vient la folie que j'ai pour ces sottises-là ; j'ai peine à le comprendre. Vous vous souvenez peut-être assez de moi pour savoir que je suis assez blessée des méchants styles ; j'ai quelque lumière pour les bons, et personne n'est plus touchée que moi des charmes de l'éloquence. Le style de la Calprenède est maudit en mille endroits : de grandes périodes de romans, de méchants mots, je sens tout cela. J'écrivis l'autre jour une lettre à mon fils de ce style, qui étoit fort plaisante. Je trouve donc qu'il est détestable, et je ne laisse pas de m'y prendre comme à de la glu. La beauté des sentiments, la violence des passions, la grandeur des événements et le succès miraculeux de leur redoutable épée, tout cela m'entraîne comme une petite fille : j'entre dans leurs affaires ; et si je n'avois M. de la Rochefoucauld et M. d'Hacqueville pour me consoler, je me pendrois de trouver encore en moi cette foiblesse. Vous m'apparoissez pour me faire honte ; mais je me dis de méchantes raisons, et je continue. J'aurai bien de l'honneur du soin que vous me donnez de vous conserver l'amitié de l'abbé ! Il vous aime chèrement ; et nous parlons très-souvent de vous, de vos affaires et de vos grandeurs. Il voudroit bien ne pas mourir avant que d'avoir été en Provence, et de vous avoir rendu quelque service. On me mande que la pauvre Mme de Montlouet est sur le point de perdre l'esprit : elle a extravagué jusqu'à présent sans jeter une larme ; elle a une grosse fièvre, et commence à pleurer ; elle dit qu'elle veut être damnée, puisque son mari doit l'être assurément. Nous continuons notre chapelle. Il fait chaud ; les soirées et les matinées sont très-belles dans ces

bois et devant cette porte ; mon appartement est frais.    J'ai
bien peur que vous ne vous accommodiez pas si bien de vos
chaleurs de Provence.    Je suis toujours tout à vous, ma
très-chère et très-aimable bonne.    Une amitié à M. de
5 Grignan.    Ne vous adore-t-il pas toujours ?


### 185.— DE MADAME DE SEVIGNE A MADAME DE GRIGNAN.

Aux Rochers, *dimanche 19e juillet [1671]*.

Je ne vois point, ma bonne, que vous ayez reçu mes
lettres du 17e et du 21e juin ; je vous écris toujours deux
fois la semaine, ce m'est une joie et une consolation ; je
10 reçois le vendredi deux de vos lettres qui me soutiennent
le cœur toute la semaine.    J'ai trouvé fort plaisant de recevoir celle que vous m'adressez dans la Capucine, justement
dans le beau milieu de la Capucine.    Il faisoit beau ; j'attendois mon laquais qui devoit m'apporter vos lettres de
15 Vitré.    Après avoir bien fait des tours, je revenois au logis.
Je vous trouve bien en famille de tous côtés, et je vous
vois très-bien faire les honneurs de votre maison.    Je vous
assure que cette manière est plus noble et plus aimable
qu'une froide insensibilité, qui sied très-mal quand on est
20 chez soi.    Vous en êtes bien éloignée, ma bonne, et l'on ne
peut pas mieux faire que ce que vous faites : je vous souhaite seulement des matériaux ; car, pour de la bonne
volonté, vous en avez de reste.
Vous aurez trouvé plaisant que je vous aie tant parlé du
25 Coadjuteur, dans le temps qu'il est avec vous : je n'avois
pas bien vu sa goutte en vous écrivant.    Ah ! Seigneur
Corbeau, si vous n'aviez demandé, pour toute nécessité,
qu'*un poco di pane, un poco di vino*, vous n'en seriez point
où vous en êtes : il faut souffrir la goutte quand on l'a

méritée; mon pauvre Seigneur, j'en suis fâchée, mais c'est
bien employé.

Je remercie M. de Grignan d'avoir soin de son adresse
et de sa belle taille.   Je vous trouve fort jolie de vous être
levée si matin pour le voir tirer vos lapins.                    5

> Le soleil se hâtant pour la gloire des cieux
> Vint opposer sa flamme à l'éclat de vos yeux,
> Et prit tous les rayons dont l'Olympe se dore.

Ce qui m'embarrasse pour la fin du sonnet, c'est que le
soleil fut pris pour l'Aurore, et qu'il me semble que vous ne 10
fûtes simplement que l'Aurore, et qu'aussitôt qu'il eut pris
tous ces rayons vous lui quittâtes la place, et vous allâtes
vous coucher.   Je vous assure au moins, ma bonne, qu'il
n'eut pas l'avantage de vous gâter votre beau teint ; il ne
demanderoit pas mieux, de l'humeur dont il est en Provence. 15
C'est à vous à vous en défendre : je vous en conjure pour
l'amour de moi qui aime si chèrement votre personne aussi
bien que tout le reste.

Je trouve, ma chère bonne, qu'il s'en faut beaucoup que
vous soyez en solitude : je me réjouis de tous ceux qui 20
vous peuvent divertir.   Vous aurez bientôt Mme de
Rochebonne.   Mandez-moi toujours ce que vous aurez.
Le Coadjuteur est bon à garder longtemps.   L'offre que
vous lui faites d'achever de bâtir votre château est une
chose qu'il acceptera sans doute : que feroit-il de son 25
argent ?   Cela ne paraîtra pas sur son épargne.   Je trou-
verois fort mauvais qu'il prît mon appartement.

Ce que vous dites de cette maxime que j'ai faite sans y
penser est très-bien et très-juste.   Je veux croire, pour ma
consolation, que si je l'avois écrite moins vite, et que je 30
l'eusse tournée avec quelque loisir, j'aurois dit comme vous ;
en un mot, ma bonne, vous avez raison, et je ne donnerai
jamais rien au public, que je ne vous consulte auparavant.

Vous avez écrit une lettre à la Mousse dont je vous
dois remercier autant que lui ; elle est toute pleine d'amitié pour moi. D'Hacqueville est bien plaisant de vous
avoir envoyé la mienne. Enfin Brancas m'a écrit une
5 lettre si excessivement tendre, qu'elle récompense tout son
oubli passé. Il me parle de son cœur à toutes les lignes ;
si je lui faisois réponse sur le même ton, ce seroit une
*portugaise.*

Il ne faut louer personne avant sa mort : c'est bien dit ;
10 nous en avons tous les jours des exemples ; mais, après
tout, le public fait toujours bien : il loue quand on fait
bien ; et comme il a bon nez, il n'est pas longtemps la
dupe, et blâme quand on fait mal. Quand on va du mal
au bien, il ne répond pas de l'avenir ; il parle de ce qu'il
15 voit. La comtesse de Gramont et d'autres ont senti les
effets de son inconstance ; mais ce n'est pas lui qui change
le premier. Vous n'avez pas sujet de vous plaindre de lui,
et ce ne sera pas par vous qu'il commencera à faire de
grandes injustices.

20 Notre abbé a pour vous une tendresse qui me le fait adorer ; il vous trouve d'une solidité qui le charme, et qui le
fait brûler d'impatience de vous pouvoir soulager et vous
être bon à quelque chose ; il a quasi autant d'envie que moi
d'aller en Provence. Nous sommes occupés de notre cha-
25 pelle ; elle sera achevée à la Toussaint. Nous sommes
dans une parfaite solitude et je m'en trouve bien. Ce parc
est bien plus beau que vous ne l'avez vu, et l'ombre de mes
petits arbres est une beauté qui n'étoit pas bien représentée
par les bâtons d'alors. Je crains le bruit qu'on va faire
30 en ce pays. On dit que madame de Chaulnes arrive aujourd'hui ; je l'irai voir demain, je ne puis pas m'en dis-
penser ; mais j'aimerois bien mieux être dans la Capucine,
ou à lire le Tasse, où je suis d'une habileté qui vous sur-
prendroit et qui me surprend moi-même.

Vous me dites trop de bien de mes lettres, ma bonne ;
je compte sûrement sur toutes vos tendresses : il y a longtemps que je dis que vous êtes vraie ; cette louange me
plaît ; elle est nouvelle et distinguée de toutes les autres ;
mais quelquefois aussi elle pourroit faire du mal.  Je sens au   5
milieu de mon cœur tout le bien que cette opinion me fait présentement.  Ah ! qu'il y a peu de personnes vraies !  Rêvez
un peu sur ce mot, vous l'aimerez.  Je lui trouve, de la façon
que je l'entends, une force au delà de sa signification ordinaire.

La divine Plessis est justement et à point toute fausse ;   10
je lui fais trop d'honneur de daigner seulement en dire du
mal.  Elle joue toutes sortes de choses : elle joue la dévote,
la capable, la peureuse, la petite poitrine, la meilleure fille
du monde ; mais surtout elle me contrefait, de sorte qu'elle
me fait toujours le même plaisir que si je me voyois dans   15
un miroir qui me fît ridicule, et que je parlasse à un écho
qui me répondît des sottises.  J'admire où je prends celles
que je vous écris.  Adieu, ma très-aimable bonne.  Vous qui
voyez tout, ne voyez-vous point comme je suis belle les
dimanches, et comme je suis négligée les jours ouvriers?   20
Mandez-moi si vous avez toujours le courage de vous habiller
et ce que vous avez fait de provençal.  Mon Dieu! qu'on est
heureux, ma bonne, de vous voir en Provence ! et quelle joie
sensible quand je vous embrasserai ! car enfin ce jour viendra ; en attendant, j'en passerai de bien cruels vers le temps   25
de vos couches.

Il a vaqué chez Monsieur une charge de vingt mille écus ;
Monsieur l'a donnée à l'*Ange*, au grand déplaisir de toute sa
maison.

La Vauguyon, après deux ans de mariage avec Fromentau,   30
l'a enfin déclaré, et elle est logée chez lui.  C'est un bon
parti que Fromentau !

Vous ai-je dit qu'il y avoit deux demoiselles à Vitré, dont
l'une s'appelle Mlle de Croque-Oison, et l'autre de Ker-

borgne? J'appelle la Plessis, Mlle de Kerlouche.   Ces
noms me réjouissent.

Je suis tout à vous, ma bonne, et si vous m'aimez, ayez
soin de votre santé.


### 186.— DE MADAME DE SEVIGNE A MADAME DE GRIGNAN.

5      Aux Rochers, *mercredi 22ᵉ juillet,* jour de la Madeleine,
           où fut tué, il y a quelques années, un père que j'avois.

Je vous écris, ma bonne, avec plaisir, quoique je n'aie rien
à vous mander.   Mme de Chaulnes arriva dimanche, mais
savez-vous comment? à beau pied sans lance, entre onze
10 heures et minuit: on pensoit à Vitré que ce fût des
bohèmes.   Elle ne vouloit aucune cérémonie à son entrée,
elle fut servie à souhait, car on ne la regarda pas, et ceux
qui la virent comme elle étoit, crurent que c'étoit ce que
je vous ai dit, et pensèrent tirer sur elle.   Elle venoit
15 de Nantes par la Guerche, et son carrosse et son chariot
étoient demeurés entre deux rochers à demi-lieue de Vitré,
parce que le contenu étoit plus grand que le contenant, ma
chère; ainsi il fallut travailler dans le roc, et cet ouvrage
ne fut fait qu'à la pointe du jour, que tout arriva à Vitré.
20 Je fus voir lundi cette duchesse, qui fut aise de me voir
comme vous pouver penser.   La Murinette beauté est avec
elle, dont mon oncle l'abbé est amoureux.   Elles sont seules
à Vitré, en attendant M. de Chaulnes, qui fait le tour
de la Bretagne, et les états qui s'assembleront dans dix
25 jours.   Vous pouvez vous imaginer ce que je suis dans
une pareille solitude: elle ne sait que devenir et n'a
recours qu'à moi; vous croyez bien que je l'emporte
hautement sur Mlle Kerborgne.   Elle me fit les mêmes
civilités que si elle n'étoit point dans son gouvernement.   Je
30 crois qu'elle me viendra voir après dîner.   Toutes mes allées

son‘ nettes rigoureusement ; je la prierai de demeurer ici deux ou trois jours à s'y promener en liberté. Comme je lui fais valoir d'être demeurée pour elle, je veux m'en acquitter d'une manière à n'être pas oubliée, et pourtant sans que je fasse d'autre bonne chère que celle qui se trou- 5 vera dans le pays. Ah mon Dieu ! en voilà beaucoup sur ce sujet. Il faut pourtant que je vous fasse encore mille baisemains de sa part, et que je vous dise qu'on ne peut estimer plus une personne qu'elle vous estime : elle est instruite par d'Hacqueville de ce que vous valez. Quelle 10 fortune que celle de cette femme ! Elle avoit cent mille écus : fille d'un conseiller, ma bonne ! Tout est rangé selon l'ordre de la Providence. Cette pensée doit fixer toutes nos inquiétudes, et vous, ma très-belle, comment êtes-vous ? où en êtes-vous de vos Grignans ? Le pauvre Coadjuteur a-t-il 15 encore la goutte ? L'innocence est-elle toujours persécutée ?

Je fis hier matin un acte généreux : j'avois huit ou dix ouvriers qui fanoient mes foins . . . pour nettoyer des allées, et j'avois envoyé mes gens à leur place. Picard n'y voulut pas aller, et me dit qu'il n'étoit pas venu pour cela en Bre- 20 tagne, qu'il n'étoit point un ouvrier, et qu'il aimoit mieux s'en aller à Paris. Sans autre forme de procès, je le fis partir à l'instant. Je pense qu'il couchera aujourd'hui à Sablé. Pour sa récompense, il l'a si peu méritée par quatre années de mauvais service que je n'en ai rien sur ma con- 25 science : elle me viendra comme elle pourra.

Il faut avouer que la disette de sujets m'a jetée aujour- d'hui dans de beaux détails. En voici encore un. Cette Mme Quintin, que nous vous disions qui vous ressembloit, à Paris, pour vous faire enrager, est comme paralytique ; 30 elle ne se soutient pas ; demandez-lui pourquoi : elle a vingt ans. Elle est passée ce matin devant cette porte, et a demandé à boire un petit coup de vin ; on lui en a porté, elle a bu sa chopine, et puis s'en est allée au Pertre con-

sulter une espèce de médecin qu'on estime en ce pays.
Que dites-vous de cette manière bretonne, familière et
galante? Elle sortoit de Vitré; elle ne pouvoit pas avoir
soif; de sorte que j'ai compris que tout cela étoit un air,
5 pour me faire savoir qu'elle a un équipage de Jean de Paris.
Ma pauvre bonne, ne sortirai-je point des nouvelles de Bretagne? Quel chien de commerce avez-vous là avec une
femme de Vitré? La cour s'en va, dit-on, à Fontainebleau;
le voyage de Rochefort et de Chambord est rompu. On
10 croit qu'en dérangeant les desseins qu'on avoit pour l'automne, on dérangera aussi la fièvre de Monsieur le Dauphin,
qui le prend dans cette saison à Saint-Germain : pour cette
année, elle y sera attrapée; elle ne l'y trouvera pas. Vous
savez qu'on a donné à Monsieur de Condom l'abbaye de Re-
15 bais qu'avait l'abbé de Foix : le pauvre homme! On prend
ici le deuil de Monsieur le duc d'Anjou : si je demeure aux
états, cela m'embarrassera. Notre abbé ne peut quitter la
chapelle; ce sera notre plus forte raison; car, pour le bruit
et le tracas de Vitré, il me sera bien moins agréable que
20 mes bois, ma tranquillité et mes lectures. Quand je quitte
Paris et mes amies, ce n'est pas pour paroître aux états :
mon pauvre mérite, tout médiocre qu'il est, n'est pas encore
réduit à se sauver en province, comme les mauvais comé-
diens. Ma bonne, je vous embrasse avec une tendresse
25 infinie; la tendresse que j'ai pour vous occupe mon âme
tout entière; elle va loin et embrasse bien des choses quand
elle est au point de la perfection. Je souhaite votre santé
plus que la mienne; conservez-vous; ne tombez point. As-
surez M. de Grignan de mon amitié, et recevez les protes-
30 tations de notre abbé.

203.—DE MADAME DE SEVIGNE A MADAME DE
GRIGNAN.

Aux Rochers, *mercredi 16e septembre* [*1671*].

Je suis méchante aujourd'hui, ma fille; je suis comme
quand vous me disiez: "*Vous êtes méchante.*" Je suis triste, je
n'ai point de vos nouvelles. *La grande amitié n'est jamais
tranquille.* Maxime. Il pleut, nous sommes seuls; en un 5
mot, je vous souhaite plus de joie que je n'en ai aujour-
d'hui. Ce qui embarrasse fort mon abbé, la Mousse et
mes gens, c'est qu'il n'y a point de remède à mon chagrin.
Je voudrois qu'il fût vendredi pour avoir une de vos lettres,
et il n'est que mercredi : voilà sur quoi on ne sait que me 10
faire; toute leur habileté est à bout ; et si par l'excès de
leur amitié ils m'assuroient, pour me contenter, qu'il est
vendredi, ce seroit encore pis ; car, si je n'avois point de vos
lettres ce jour-là, il n'y auroit pas un brin de raison avec
moi ; de sorte que je suis contrainte d'avoir patience, quoi- 15
que ce soit une vertu, comme vous savez, que je n'ai guère
à mon usage : enfin je serai satisfaite avant qu'il soit trois
jours. J'ai une extrême envie de savoir comme vous vous
portez de cette frayeur : c'est mon aversion que les frayeurs.
Pour moi, je ne suis pas sotte, mais elles me la font deve- 20
nir, c'est-à-dire qu'elles me mettent dans un état qui ren-
verse entièrement ma santé. Mon inquiétude présente ne
va pas jusque là: je suis persuadée que la sagesse que
vous avez eue de garder le lit vous aura entièrement remise.
Ne me venez point dire que vous ne me manderez plus rien 25
de votre santé; vous me mettrez au désespoir; et n'ayant
plus de confiance à ce que vous me diriez, je serois toujours
comme je suis présentement. Il faut avouer que nous
sommes à une belle distance l'une de l'autre, et que si l'on
avoit quelque chose sur le cœur dont on attendît du sou- 30
lagement, on auroit un beau loisir pour se pendre.

Je voulus hier prendre une petite dose de *Morale;* je m'en trouvai assez bien ; mais je me trouve encore mieux d'une petite critique contre la *Bérénice* de Racine, qui me parut fort plaisante et fort spirituelle.    C'est de l'auteur des *Syl-*
5 *phides*, des *Gnomes* et des *Salamandres:* il y a cinq ou six petits mots qui ne valent rien du tout, et même qui sont d'un homme qui ne sait pas le monde ; cela donne de la peine ; mais comme ce ne sont que des mots en passant, il ne faut point s'en offenser, et regarder tout le reste, et le
10 tour qu'il donne à sa critique : je vous assure que cela est joli.    Je crus que cette bagatelle vous auroit divertie ; et je vous souhaitai dans votre petit cabinet auprès de moi, sauf à vous en retourner dans votre beau château, quand vous auriez achevé cette lecture.    Je vous avoue pour-
15 tant que j'aurois quelque peine à vous laisser partir si tôt ; c'est une chose bien dure pour moi que de vous dire adieu : je sais ce que m'a coûté le dernier.    Il seroit bien de l'humeur où je suis d'en parler ; mais je n'y pense encore qu'en tremblant ; ainsi vous êtes à couvert de ce chapitre.
20 J'espère que cette lettre vous trouvera gaie ; si cela est, je vous prie de la brûler tout à l'heure ; ce seroit une chose bien extraordinaire qu'elle fût agréable avec ce chien d'es- prit que je me sens.    Le Coadjuteur est bien heureux que je ne lui fasse pas réponse aujourd'hui.
25 J'ai envie de vous faire vingt-cinq ou trente questions pour finir dignement cet ouvrage.    Avez-vous des muscats? vous ne me parlez pas des figues.    Avez-vous bien chaud? vous ne m'en dites rien.    Avez-vous de ces aimables bêtes que nous avions à Paris ?    Avez-vous eu longtemps votre
30 tante d'Harcourt ?    Vous jugez bien qu'ayant perdu tant de vos lettres, je suis dans une assez grande ignorance, et que j'ai perdu la suite de votre discours.    Pincez-vous toujours cette pauvre Golier ?    Vous battez-vous avec Adhémar ? de ces batteries qui me font demander : " Mais que voulez-vous

donc?" Est-il toujours le petit glorieux? Croit-il pas toujours être de bien meilleure maison que ses frères? Ah!
que je voudrois bien battre quelqu'un! Que je serois
obligée à quelque Breton qui me viendroit faire une sotte
proposition qui m'obligeât de me mettre en colère! Vous 5
me disiez l'autre jour que vous étiez bien aise que je fusse
dans ma solitude, et que j'y penserois à vous: c'est bien
rencontré; c'est que je n'y pense pas toujours, au milieu de
Vitré, de Paris, de la cour, et du paradis si j'y étois. Adieu,
ma fille, voici le bon endroit de ma lettre. Je finis parce 10
que je trouve que ceci extravague un peu: encore a-t-on son
honneur à garder. Si je n'étois point brouillée avec le
chocolat, j'en prendrois une chopine; il feroit un bel effet
avec cette belle disposition que vous voyez.

209.—DE MADAME DE SEVIGNE A MADAME DE
GRIGNAN.

AUX ROCHERS, *mercredi 7e octobre* [*1671*].     15

Vous savez que je suis toujours un peu entêtée de mes lectures. Ceux à qui je parle ou à qui j'écris ont intérêt que je lise
de bons livres. Celui dont je veux parler présentement, c'est
toujours de Nicole, et c'est du traité *d'entretenir la paix entre
les hommes.* Ma bonne, j'en suis charmée; je n'ai jamais 20
rien vu de plus utile, ni si plein d'esprit et de lumière. Si
vous ne l'avez lu, lisez-le; et si vous l'avez lu, relisez-le
avec une nouvelle attention. Je crois que tout le monde
s'y trouve; pour moi, je crois qu'il a été fait à mon intention; j'espère aussi d'en profiter, j'y ferai mes efforts. 25
Vous savez que je ne puis souffrir que les vieilles gens
disent: "Je suis trop vieux pour me corriger." Je pardonne-
rois plutôt à une jeune personne de tenir ce discours. La
jeunesse est si aimable qu'il faudroit l'adorer, si l'âme et
l'esprit étoient aussi parfaits que le corps; mais quand on 30

n'est plus jeune, c'est alors qu'il faut se perfectionner, et
tâcher de regagner du côté des bonnes qualités ce qu'on
perd du côté des agréables.   Il y a longtemps que j'ai fait
ces réflexions, et par cette raison je veux tous les jours
5 travailler à mon esprit, à mon âme, à mon cœur, à mes
sentiments.   Voilà de quoi je suis pleine et de quoi je rem-
plis cette lettre, n'ayant pas beaucoup d'autres sujets.

Je vous crois à Lambesc, ma bonne ; mais je ne vous vois
pas bien d'ici : il y a des ombres dans mon imagination qui
10 vous couvrent à ma vue.   Je m'étois fait le château de Grignan, je voyois votre appartement, je me promenois sur votre
terrasse, j'allois à la messe dans votre belle église ; mais je
ne sais plus où j'en suis.   J'attends avec grande impatience
des nouvelles de ce lieu-là et des nouvelles de l'Evêque.   Il
15 y avoit dans mon dernier paquet une lettre qui me donnoit
beaucoup d'espérance.   Quoique vous ayez été deux ordinaires sans m'écrire, j'espère un peu d'avoir vendredi une
lettre de vous, et si je n'en ai point, vous avez été si pré-
voyante, que je ne serai point en peine.   Il y a des soins,
20 comme par exemple celui-là, qui marquent tant de bonté, de
tendresse et d'amitié, qu'on en est charmé.   Adieu, ma très-
chère et très-aimable; je ne veux point vous écrire davantage aujourd'hui, quoique mon loisir soit grand.   Je n'ai
que des riens à vous mander ; c'est abuser d'une lieutenante
25 générale qui tient les états, et qui n'est pas sans affaires.
Cela est bon quand vous êtes dans votre palais d'Apollidon.
Notre abbé, notre Mousse, sont toujours tout à vous ;
pour moi, ma bonne, vous êtes mon cœur et ma vie.   *Se-*
*posto ho il cor nelle sue mani ; a lei starà di farsi amar quanto*
30 *le piace.*

Après avoir été tout le temps que je suis ici sans recevoir
aucune lettre de Corbinelli, enfin j'en ai reçu une qui me
fait voir que toutes ses lettres ont été perdues ainsi que les
vôtres : cela me rendoit injuste envers lui.   Je lui ai fait

des réparations, j'attends les siennes ; car je lui écrivois toujours, et il ne recevoit point mes lettres. Je vous dis tout ceci, afin que si vous le voyez, vous sachiez que répondre.

Le comte de Guiche est à la cour tout seul de son air et de sa manière, un héros de roman, qui ne ressemble point 5 au reste des hommes : voilà ce qu'on me mande.

## 217. — DE MADAME DE SEVIGNE A MADAME DE GRIGNAN.

Aux Rochers, *mercredi 4e novembre* [*1671*].

Ah ! ma fille, il y a aujourd'hui deux ans qu'il se passa une étrange scène à Livry, et que mon cœur fut dans une terrible presse. Il faut passer légèrement sur de tels sou- 10 venirs. Il y a de certaines pensées qui égratignent la tête.

Parlons un peu de M. Nicole : il y a longtemps que nous n'en avons rien dit. Je trouve votre réflexion fort bonne et fort juste sur ce que vous dites de l'indifférence qu'il veut que 15 l'on ait pour l'approbation ou l'improbation du prochain. Je crois, comme vous, qu'il faut un peu de grâce, et que la philosophie seule ne suffit pas. Il nous met à un si haut point la paix et l'union avec le prochain, et nous conseille de l'acquérir aux dépens de tant de choses, qu'il n'y a pas 20 moyen après cela d'être indifférente sur ce qu'il pense de nous. Devinez ce que je fais : je recommence ce traité ; je voudrois bien en faire un bouillon et l'avaler. Ce qu'il dit de l'orgueil, et de l'amour-propre qui se trouvent dans toutes les disputes, et que l'on couvre du beau nom de 25 l'amour de la vérité, est une chose qui me ravit. Enfin ce traité est fait pour bien du monde ; mais je crois principalement qu'on n'a eu que moi en vue. Il dit que l'éloquence et la facilité de parler donnent un certain *éclat* aux pensées : cette expression m'a paru belle et nouvelle ; le mot d'*éclat* 30

est bien placé, ne le trouvez-vous pas? Il faut que nous
relisions ce livre à Grignan; si j'étois votre garde pendant
votre couche, ce seroit notre fait: hélas! que puis-je vous
faire de si loin? Je fais dire tous les jours la messe pour
5 vous; voilà mon emploi, et d'avoir bien des inquiétudes
qui ne vous serviront de rien, mais qu'il est impossible
de n'avoir pas.

Cependant j'ai dix ou douze charpentiers en l'air, qui
lèvent ma charpente, qui courent sur les solives, qui ne tien-
10 nent à rien, qui sont à tout moment sur le point de se rompre
le cou, qui me font mal au dos à force de leur aider d'en bas.
On songe à ce bel effet de la Providence que fait la cupidité; et l'on remercie Dieu qu'il y ait des hommes qui pour
douze sous veuillent bien faire ce que d'autres ne feroient
15 pas pour cent mille écus. "Oh trop heureux ceux qui
plantent des choux! quand ils ont un pied à terre, l'autre
n'en est pas loin." Je tiens ceci d'un bon auteur.

Nous avons aussi des planteurs qui font des allées nouvelles, et dont je tiens moi-même les arbres, quand il ne
20 pleut pas à verse; mais le temps nous désole, et fait qu'on
souhaiteroit un sylphe pour nous porter à Paris. Mme
de la Fayette me mande que, puisque vous me mandez
sérieusement l'histoire d'Auger, elle est persuadée qu'elle
est vraie, et que vous ne vous moquez point de moi. Elle
25 pensoit que ce fût une folie de M. de Coulanges, et cela se
pouvoit très-bien penser. Si vous lui en écrivez, que ce soit
sur ce ton.

M. de Louvigny, comme vous voyez, n'a pas eu la force
d'acheter la charge de son père. Voilà M. de la Feuillade
30 bien établi; je ne croyois pas qu'il dût si bien rentrer dans
le chemin de la fortune. Ma tante a eu une bouffée de
fièvre qui m'a fait peur. Votre fille a mal aux dents et
pince comme vous: cela est plaisant. Que vous dirai-je
de plus? Songez que je suis dans un désert; jamais je

n'ai vu moins de monde que cette année.  La Troche, que
j'attendois, est malade.  Nous sommes donc seuls: nous
lisons beaucoup, et l'on trouve le soir et le lendemain
comme ailleurs.  Adieu, ma chère enfant; je suis à vous
sans aucune exagération, ni fin de lettre, *hasta la muerte* 5
inclusivement; j'embrasse M. de Claudiopolis, et le colonel
Adhémar et le beau Chevalier.  Pour M. de Grignan, il a
son fait à part.

230. — DE MADAME DE SEVIGNE A MADAME ET A
MONSIEUR DE GRIGNAN.

A Paris, *mercredi 23e décembre* [*1671*].

Je vous écris par provision, ma bonne, parce que je veux 10
causer avec vous.  Un moment après que j'eus envoyé mon
paquet le jour que j'arrivai, le petit Dubois m'apporta celui
que je croyois égaré : vous pouvez penser avec quelle joie
je le reçus.  Je n'y pus faire réponse, parce que Mme de la
Fayette, Mme de Saint-Géran, Mme de Villars, me vinrent 15
embrasser.  Vous avez tous les étonnements que doit donner un malheur comme celui de M. de Lauzun ; toutes vos
réflexions sont justes et naturelles, tous ceux qui ont
de l'esprit les ont faites ; mais on commence à n'y plus
penser : voici un bon pays pour oublier les malheureux. 20
On a su qu'il avoit fait son voyage dans un si grand désespoir, qu'on ne le quittoit pas d'un moment.  On le voulut faire descendre de carrosse dans un endroit dangereux ;
il répondit : " *Ces malheurs-là ne sont pas faits pour moi.*"
Il dit qu'il est très-innocent à l'égard du Roi ; mais que son 25
crime est d'avoir des ennemis trop puissants.  Le Roi n'a
rien dit, et ce silence déclare assez la qualité de son crime.
Il crut que l'on le laisseroit à Pierre-Encise, et commençoit
à Lyon à faire ses compliments à M. d'Artagnan ; mais
quand il sut qu'on le menoit à Pignerol, il soupira, et dit: 30

"Je suis perdu." On avoit grand'pitié de sa disgrâce dans les villes où il passoit. Pour vous dire le vrai, elle est extrême. Le Roi envoya querir le lendemain M. de Marsillac, et lui dit: "Je vous donne le gouvernement de Berri qu'avoit 5 Lauzun." Marsillac répondit: "Sire, Votre Majesté, qui sait mieux les règles de l'honneur que personne du monde, se souvienne, s'il lui plaît, que je n'étois pas ami de M. de Lauzun; qu'elle ait la bonté de se mettre un moment à ma place, et qu'elle juge si je dois accepter la grâce qu'elle me 10 fait." Le Roi lui dit: "Vous êtes trop scrupuleux, Monsieur le Prince: j'en sais autant qu'un autre là-dessus; mais vous n'en devez faire aucune difficulté."—"Sire, puisque votre Majesté l'approuve, je me jette à ses pieds pour la remercier."—"Mais," dit le Roi, "je vous ai donné une pension 15 de douze mille francs, en attendant que vous eussiez quelque chose de mieux."—"Oui, Sire, je la remets entre vos mains."—"Et moi," dit le Roi, "je vous la redonne encore une fois, et je m'en vais vous faire honneur de vos beaux sentiments." En disant cela, il se tourne vers les ministres, 20 leur conta les scrupules de M. de Marsillac, et dit: "J'admire la différence; jamais Lauzun n'avoit daigné me remercier du gouvernement de Berri; il n'en avoit pas pris les provisions; et voilà un homme comblé de reconnoissance." Tout ceci est extrêmement vrai; M. de la Rochefoucauld me 25 le vient de conter. J'ai cru que vous ne haïriez pas ces détails; si je me trompois, ma bonne, mandez-le-moi. Le pauvre homme est très-mal de sa goutte, et bien pis que les autres années: il m'a bien parlé de vous, et vous aime toujours comme sa fille. Le prince de Marsillac m'est venu 30 voir, et l'on me parle toujours de ma chère enfant. J'ai enfin pris courage; j'ai causé deux heures avec M. de Coulanges; je ne le puis quitter: c'est un grand bonheur que le hasard m'ait fait loger chez lui.

Je ne sais si vous aurez su que Villarceaux, parlant au

Roi d'une charge pour son fils, prit habilement l'occasion de
lui dire qu'il y avoit des gens qui se mêloient de dire à sa
nièce que Sa Majesté avoit quelque dessein pour elle ; que
si cela étoit, il le supplioit de se servir de lui ; que l'affaire
seroit mieux entre ses mains que dans celles des autres, et 5
qu'il s'y emploieroit avec succès.  Le Roi se mit à rire, et
dit : "Villarceaux, nous sommes trop vieux, vous et moi,
pour attaquer des demoiselles de quinze ans" ; et, comme
un galant homme, se moque de lui, et conta ce discours
chez les dames.  Ce sont des vérités que tout ceci.  Les 10
*Anges* sont enragées, et ne veulent plus voir leur oncle,
qui, de son côté, est fort honteux.  Il n'y a nul chiffre à
tout ceci ; mais je trouve que le Roi fait partout un si bon
personnage, qu'il n'est point besoin de mystère quand on
en parle. 15

On a trouvé, dit-on, mille belles merveilles dans les cas-
settes de M. de Lauzun ; des portraits sans compte et sans
nombre, des nudités, une sans tête, une autre les yeux
crevés (c'est votre voisine) : des cheveux grands et petits,
des étiquettes pour éviter la confusion : à l'un *grison* d'une 20
telle, à l'autre *mousson* de la mère, à l'autre *blondin pris en
bon lieu*, ainsi mille gentillesses : mais je n'en voudrois pas
jurer, car vous savez comme on invente dans ces occasions.

J'ai vu M. de Mesmes, qui enfin a perdu sa chère femme.
Il a pleuré et sangloté en me voyant ; et moi, je n'ai jamais 25
pu retenir mes larmes.  Toute la France a visité cette maison ; je vous conseille d'y faire des compliments ; vous le
devez par le souvenir de Livry que vous aimez encore.

J'ai reçu votre lettre du 13e ; c'est au bout de sept jours
présentement.  En vérité, je tremble de penser qu'un enfant 30
de trois semaines ait eu la fièvre et la petite vérole.  C'est
la chose du monde la plus extraordinaire.  Mon Dieu ! d'où
vient cette chaleur extrême dans ce petit corps ?  Je suis en
peine de ce petit dauphin ; je l'aime, et comme je sais que

vous l'aimez, j'y suis fortement attachée.   Vous sentez donc
l'amour maternelle; j'en suis fort aise.   Eh bien! moquez-
vous présentement des craintes, des inquiétudes, des prévoy-
ances, des tendresses, qui mettent le cœur en presse, du
5 trouble que cela jette sur toute la vie; vous ne serez plus
étonnée de tous mes sentiments.   J'ai cette obligation à
cette petite créature.   Je fais bien prier Dieu pour lui, et
n'en suis pas moins en peine que vous.   J'attends de ses nouvelles avec impatience; je n'ai pas huit jours à attendre ici
10 comme aux Rochers.   Voilà le plus grand agrément que je
trouve ici; car enfin, ma bonne, de bonne foi, vous m'êtes
toutes choses, et vos lettres que je reçois deux fois la
semaine font mon unique et sensible consolation en votre
absence.   Elles sont agréables, elle me sont chères, elles
15 me plaisent.   Je les relis aussi bien que vous faites les
miennes; mais comme je suis une pleureuse, je ne puis pas
seulement approcher des premières lignes sans pleurer du
fond de mon cœur.

   Est-il possible que les miennes vous soient agréables au
20 point que vous me le dites?   Je ne les trouve point telles
au sortir de mes mains; je crois qu'elles deviennent ainsi
quand elles ont passé par les vôtres: enfin, ma bonne, c'est
un grand bonheur que vous les aimiez; car, de la manière
dont vous en êtes accablée, vous seriez fort à plaindre si
25 cela étoit autrement.   M. de Coulanges est bien en peine
de savoir laquèlle de vos *madames* y prend goût: nous trouvons que c'est un bon signe pour elle; car mon style est si
négligé qu'il faut avoir un esprit naturel et du monde pour
s'en pouvoir accommoder.

30   Et vous, Monsieur le Comte, je verrai bien si vous me
voulez en Provence: ne faites point de méchantes plaisan-
teries là-dessus.   Ma fille n'est point éveillée, je vous
réponds d'elle; et pour vous, ne cherchez point noise.
Songez aux affaires de votre province, ou bien je serai

persuadée que je ne suis point *votre bonne*, et que vous
voulez avoir la fin de la mère et de la fille.

Je reviens à vos affaires. C'est une cruelle chose que
l'affaire du Roi soit si difficile à conclure. N'avez-vous
point envoyé ici? Nous tâchons de ne pas laisser ignorer 5
de quelle manière vous vous appliquez à servir le Roi dans
la place où vous êtes ; je voudrois bien vous pouvoir servir
dans celle où je suis. Donnez m'en les moyens, ou pour
mieux dire, souhaitez que j'aie autant de pouvoir que de
bonne volonté. Adieu, Monsieur le Comte.                    10

Je reviens à vous, Madame la Comtesse, pour vous dire
que j'ai envoyé querir Pecquet pour discourir de la petite
vérole de ce petit enfant: il en est épouvanté ; mais il
admire sa force d'avoir pu chasser ce venin, et croit qu'il
vivra cent ans après avoir si bien commencé.                15

Enfin je parlai quinze ou seize heures à M. de Coulanges!
Je ne crois pas qu'on puisse parler à d'autres qu'à lui: "Çà,
courage! mon cœur, point de faiblesse humaine"; et en me
fortifiant ainsi, j'ai passé par-dessus mes premières faiblesses.
Mais Catau m'a mise encore une fois en déroute; elle entra, 20
il me sembla qu'elle me devoit dire: "Madame, madame
vous donne le bonjour, elle vous prie de la venir voir."
Elle me reparla de tout votre voyage ; que quelquefois vous
vous souveniez de moi. Je fus une heure assez imperti-
nente. Je m'amuse à votre fille ; vous n'en faites pas grand 25
cas, mais croyez-moi, nous vous le rendons bien : on m'embrasse, on me connoît, on me rit, on m'appelle. Je suis
*maman* tout court ; et de celle de Provence, pas un mot.

J'ai reçu mille visites de tous vos amis et les miens, cela
fait une assez grande troupe. L'abbé Têtu a du temps de 30
reste, à cause de l'hôtel de Richelieu qu'il n'a plus ; de
sorte que nous en profitons.

Au reste, le Roi part le 5ᵉ janvier pour Châlons, et plusieurs autres tours, quelques revues en chemin faisant. Le

voyage sera de douze jours; mais les officiers et les troupes iront plus loin.   Pour moi, je soupçonne encore quelque expédition comme celle de la Franche-Comté.   Vous savez que le Roi *est un héros de toutes les saisons.*   Les pauvres
5  courtisans sont désolés; ils n'ont pas un sou.   Brancas me demandoit hier sérieusement si je ne voudrois point prêter sur gages, et m'assura qu'il n'en parleroit point, et qu'il aimoit mieux avoir affaire à moi qu'à un autre.   La Trousse me prie de lui apprendre quelques-uns des secrets de Pome-
10 nars pour subsister honnêtement.   Enfin, ils sont abîmés. Je la suis de la nouvelle que vous me mandez de M. Deville: quoi Deville! quoi sa femme!   Les cornes me viennent à la tête, et pourtant je crois que vous avez raison.   Voilà une lettre de *Trochanire*, songez à la réponse.
15    Voilà Châtillon que j'exhorte de vous faire un impromptu sur le champ.   Il me demande huit jours, et je l'assure déjà qu'il ne sera que réchauffé, et qu'il le tirera du fond de cette gibecière que vous connoissez.   Adieu, ma divine bonne, il y a raison partout; cette lettre est devenue un juste volume.
20 J'embrasse le laborieux Grignan, le seigneur Corbeau, le présomptueux Adhémar, et le fortuné Louis de Provence, sur qui tous les astrologues disent que les Fées ont soufflé.   *E con questo mi raccommando.*


### 231.—DE MADAME DE SEVIGNE A MADAME DE GRIGNAN.

A Paris, *le jour de Noël* [*1671*].

25    Le lendemain que j'eus reçu votre lettre, qui fut hier, M. le Camus me vint voir.   Je lui fis voir ce qu'il avoit à dire sur les soins, le zèle et l'application de M. de Grignan pour faire réussir l'affaire de Sa Majesté.   M. de Lavardin vint aussi, qui m'assura qu'il en rendroit compte en bon lieu
30 avant la fin du jour.   Je ne pouvois trouver deux hommes

plus propres à mon dessein : c'est la basse et le dessus.  Le
soir, j'allai chez Monsieur d'Uzès, qui est encore dans sa
chambre; nous parlâmes fort de vos affaires.  Nous avions
appris les mêmes choses, et le dessein qu'on avoit d'envoyer
un ordre pour séparer l'Assemblée, et de leur faire sentir en  5
quelque autre occasion ce que c'est que de ne pas obéir.

Au reste, ma bonne, j'ai le cœur serré, et très-serré de ne
point vous avoir ici.  Je serois bien plus heureuse s'il y
avoit quelqu'un que j'aimasse autant que vous, je serois
consolée de votre absence; mais je n'ai pas encore trouvé  10
cette égalité, ni rien qui en approche.  Mille choses impré-
vues me font souvenir de vous par-dessus le souvenir ordinaire, et me mettent en déroute.  Je suis en peine de savoir
où vous irez après votre Assemblée.  Aix et Arles sont em-
pestés de la petite vérole; Grignan est bien froid; Salon est  15
bien seul.  Venez dans ma chambre, ma chère enfant, vous
y serez très-bien reçue.

Adieu, vous en voilà quitte pour cette fois : ce ne sera
point ici un second tome, je ne sais plus rien.  Si vous vouliez me faire des questions, on vous répondroit.  J'ai été  20
cette nuit aux Minimes; je m'en vais en Bourdaloue.  On
dit qu'il s'est mis à dépeindre les gens, et que l'autre jour il
fit trois points de la retraite de Tréville; il n'y manquoit
que le nom; mais il n'en étoit pas besoin.  Avec tout cela
on dit qu'il passe toutes les merveilles passées, et que per-  25
sonne n'a prêché jusqu'ici.  Mille compliments aux Grignans.


236.— DE MADAME DE SEVIGNE A MADAME DE
GRIGNAN.

A Paris, *8e janvier* [*1672*].

Devinez où je m'en vais tout à l'heure, ma chère bonne:
à Livry, et demain dîner à Pompone avec mon bon homme.
Il m'a priée si tendrement de lui faire cette visite pendant  30

qu'il fait beau, que je n'ai pas voulu le refuser. Je lui parlerai d'un certain commis que vous avez recommendé à Mme de la Fayette et qui a été à M. de Lyonne.

Vous me paroissez tranquille sur le retour de vos cour-
5 riers; nous ne sommes pas de même, nous craignons le dénoûment de tout ceci, qui ne peut être que fâcheux. Nous en parlons, Monsieur d'Uzès et moi, et regardons les chagrins qui sont attachés à quelque résolution qu'on prenne.

10 Je n'oserois songer à vos affaires: c'est un labyrinthe plein d'amertumes, d'où je ne sors point. Je ne sais point de nouvelles aujourd'hui. Si j'avois juré de remplir ma feuille, je vous manderois des sottises, et tout ce que l'on fera dans six semaines; mais c'est un ennui. Ce que j'aime
15 mieux vous dire, c'est qu'on est inhumain en ce pays pour recevoir les excuses de ceux qui n'écrivent pas dans les occasions. J'ai voulu en user ainsi en Bretagne; il a fallu en venir à y prendre part. Profitez de ce petit discours en l'air.

20 On parle de plusieurs mariages; quand ils seront signés, je vous les manderai.

Adressez-moi désormais, ma bonne, les lettres de Mme de Vaudemont et toutes celles que vous voudrez: ce m'est un plaisir.

25 Adieu, ma mignonne, il y a une heure que je me joue avec votre fille; elle est aimable. Il est tard, et je vous quitte pour aller pleurer à Livry, et penser à vous tendrement.

Mille amitiés à ce Grignan et au prince son frère. Ma
30 tante est malade à un point qui me trouble et qui me met en peine.

237. — DE MADAME DE SEVIGNE A MADAME DE
GRIGNAN.

A Paris, *mercredi 13ᵉ janvier* [*1672*].

Eh mon Dieu! ma bonne, que dites-vous? Quel plaisir
prenez-vous à dire du mal de votre personne, de votre
esprit; à rabaisser votre bonne conduite; à trouver qu'il
faut avoir bien de la bonté pour songer à vous? Quoique 5
assurément vous ne pensiez point tout cela, j'en suis blessée,
vous me fâchez; et quoique je ne dusse peut-être pas répondre à des choses que vous dites en badinant, je ne puis
m'empêcher de vous en gronder, préférablement à tout ce
que j'ai à vous mander. Vous êtes bonne encore quand 10
vous dites que vous avez peur des beaux-esprits. Hélas!
ma chère, si vous saviez qu'ils sont petits de près, et combien ils sont quelquefois empêchés de leurs personnes, vous
les remettriez bientôt à hauteur d'appui. Vous souvient-il
combien vous en étiez quelquefois lasse? Prenez garde que 15
l'éloignement ne vous grossisse les objets: c'est son effet
ordinaire.

Nous soupons tous les soirs avec Mme Scarron. Elle
a l'esprit aimable et merveilleusement droit: c'est un plaisir
que de l'entendre raisonner sur les horribles agitations d'un 20
certain pays qu'elle connoît bien, et le désespoir qu'avoit
cette d'Heudicourt dans le temps que sa place paroissoit si
miraculeuse, les rages continuelles du petit Lauzun, le noir
chagrin ou les tristes ennuis des dames de Saint-Germain;
et peut-être que la plus enviée n'en est pas toujours exempte. 25
C'est une plaisante chose que de l'entendre causer de tout
cela. Ces discours nous mènent quelquefois bien loin, de
moralité en moralité, tantôt chrétienne, et tantôt politique.
Nous parlons très-souvent de vous: elle aime votre esprit et
vos manières; et quand vous vous retrouverez ici, ne crai- 30
gnez point, ma bonne, de n'être pas à la mode.

Je vous trouve un peu fatiguée de vos Provençaux.  Voulez-vous que nous fassions une chanson contre eux ?   Enfin
ils ont obéi; mais ç'a été de mauvaise grâce.   S'ils avoient
cru d'abord M. de Grignan, il ne leur en auroit pas coûté
5 davantage, et ils auroient contenté la cour.   Ce sont des
manières charmantes : à quoi vous avez raison de dire que
ce n'est pas votre faute et que vous n'y sauriez que faire;
cet endroit est plaisant.

Mais écoutez la bonté du Roi, et le plaisir de servir un si
10 aimable maître.   Il a fait appeler le maréchal de Bellefonds
dans son cabinet, et lui a dit: "Monsieur le maréchal, je
veux savoir pourquoi vous me voulez quitter.   Est-ce dévotion ? est-ce envie de vous retirer ? est-ce l'accablement de
vos dettes ?   Si c'est le dernier, j'y veux donner ordre, et
15 entrer dans le détail de vos affaires."   Le maréchal fut sensiblement touché de cette bonté.   "Sire, dit-il, ce sont mes
dettes : je suis abîmé ; je ne puis voir souffrir quelques-uns
de mes amis qui m'ont assisté, à qui je ne puis satisfaire.—
Eh bien, dit le Roi, il faut assurer leur dette.   Je vous donne
20 cent mille francs de votre maison de Versailles, et un brevet
de retenue de quatre cent mille francs, qui servira d'assurance, si vous veniez à mourir.   Vous payerez les arrérages
avec les cent mille francs ; cela étant, vous demeurerez à
mon service."   En vérité, il faudroit avoir le cœur bien
25 dur pour ne pas obéir à un maître qui entre dans les intérêts
d'un de ses domestiques avec tant de bonté: aussi le maréchal ne résista pas ; et le voilà remis à sa place et surchargé
d'obligations.   Tout ce détail est vrai.

Il y a tous les soirs des bals, des comédies et des masca-
30 rades à Saint-Germain.   Le Roi a une application à divertir
Madame, qu'il n'a jamais eue pour l'autre.   Racine a fait
une comédie qui s'appelle *Bajazet*, et qui enlève la paille;
vraiment elle ne va pas en *empirando* comme les autres.   M. de
Tallard dit qu'elle est autant au-dessus de celles de Corneille,

que celles de Corneille sont au-dessus de celles de Boyer :
voilà ce qui s'appelle bien louer ; il ne faut point tenir les
vérités cachées.   Nous en jugerons par nos yeux et par nos
oreilles.

Du bruit de *Bajazet* mon âme importunée     5

fait que je veux aller à la comédie.

J'ai été à Livry.   Hélas ! ma bonne, que je vous ai bien
tenu parole, et que j'ai songé tendrement à vous !   Il y
faisoit très-beau, quoique très-froid ; mais le soleil brilloit ;
tous les arbres étoient parés de perles et de cristaux : cette 10
diversité ne déplait point.   Je me promenai fort.   Je fus le
lendemain dîner à Pompone : quel moyen de vous redire
ce qui fut dit en cinq heures ?   Je ne m'y ennuyai point.
M. de Pompone sera ici dans quatre jours.   Ce seroit un
grand chagrin pour moi si jamais j'étois obligée à lui aller 15
parler pour vos affaires de Provence.   Tout de bon, il ne
m'écouteroit pas ; vous voyez que je fais un peu l'entendue.
Mais, ma foi ! ma bonne, rien n'est égal à Monsieur d'Uzès :
c'est ce qui s'appelle les grosses cordes.   Je n'ai jamais vu
un homme, ni d'un meilleur esprit, ni d'un meilleur conseil : 20
je l'attends pour vous parler de ce qu'il aura fait à Saint-
Germain.

Vous me priez de vous écrire doublement de grandes
lettres ; je pense, ma bonne, que vous devez en être contente : je suis quelquefois épouvantée de leur immensité. 25
Ce sont toutes vos flatteries qui me donnent cette confiance.
Je vous prie, ma bonne, de vous bien conserver dans ce
bienheureux état, et ne passez point d'une extrémité à
l'autre.   De bonne foi, prenez du temps pour vous rétablir,
et ne tentez point Dieu par vos dialogues et par votre 30
voisinage.

Mme de Brissac a une très-bonne provision pour son
hiver, c'est-à-dire M. de Longueville et le comte de Guiche,

mais en tout bien et en tout honneur; ce n'est seulement
que pour le plaisir d'être adorée.

Il ne tient pas à moi que je ne voie Mme de Valavoire.
Il est vrai qu'il n'est point besoin de me dire : " Va la voir";
5 c'est assez qu'elle vous ait vue pour me la faire courir; mais
elle court après quelque autre, car j'ai beau la prier de m'attendre, je ne puis parvenir à ce bonheur.    C'est à Monsieur
le Grand qu'il faudroit donner votre turlupinade : elle est des
meilleures.    Châtillon nous en donne tous les jours ici des
10 plus méchantes du monde.

### 238.— DE MADAME DE SEVIGNE A MADAME DE
### GRIGNAN.

A Paris, *vendredi au soir, 15e janvier* [*1672*].

Je vous ai écrit ce matin, ma bonne, par le courrier qui
vous porte toutes les douceurs et tous les agréments du
monde pour vos affaires de Provence; mais je veux encore
15 écrire ce soir, afin qu'il ne soit pas dit qu'une poste arrive
sans vous apporter de mes lettres.    Tout de bon, ma belle,
je crois que vous les aimez; vous me le dites : pourquoi
voudriez-vous me tromper en vous trompant vous-même?
Car si par hasard cela n'étoit pas, vous seriez à plaindre
20 de l'accablement où je vous mettrois par l'abondance des
miennes : les vôtres font ma félicité.    Je ne vous ai point
répondu sur votre belle âme : c'est Langlade qui dit, *la belle
âme*, pour badiner; mais, de bonne foi, vous l'avez fort belle;
ce n'est peut-être pas de ces âmes du premier ordre, comme
25 *chose*, ce Romain qui retourna chez les Carthaginois, pour
tenir sa parole, où il fut pis que martyrisé; mais, au-dessous,
ma bonne, vous pouvez vous vanter d'être du premier rang.
Je vous trouve si parfaite et dans une si grande réputation,
que je ne sais que vous dire, sinon de vous admirer, et de
30 vous prier de soutenir toujours votre raison par votre courage,

et votre courage par votre raison, et prendre du chocolat, afin
que les plus méchantes compagnies vous paroissent bonnes.

La comédie de Racine m'a paru belle, nous y avons été.
Ma belle-fille m'a paru la plus merveilleuse comédienne
que j'aie jamais vue : elle surpasse la Desœillets de cent
lieues loin ; et moi, qu'on croit assez bonne pour le théâtre,
je ne suis pas digne d'allumer les chandelles quand elle
paroît. Elle est laide de près, et je ne m'étonne pas que
mon fils ait été suffoqué par sa présence ; mais quand elle
dit des vers, elle est adorable. *Bajazet* est beau ; j'y trouve
quelque embarras sur la fin ; il y a bien de la passion, et de
la passion moins folle que celle de *Bérénice :* je trouve
cependant, à mon petit sens, qu'elle ne surpasse pas *Andromaque ;* et pour ce qui est des belles comédies de Corneille,
elles sont autant au-dessus, que votre idée étoit au-dessus
de. . . . Appliquez, et ressouvenez-vous de cette folie, et
croyez que jamais rien n'approchera (je ne dis pas surpassera) des divins endroits de Corneille. Il nous lut l'autre
jour une comédie chez M. de la Rochefoucauld, qui fait souvenir de la Reine mère. Cependant je voudrois, ma bonne,
que vous fussiez venue avec moi après-dîner, vous ne vous
seriez point ennuyée ; vous auriez peut-être pleuré une
petite larme, puisque j'en ai pleuré plus de vingt ; vous
auriez admiré votre belle-sœur ; vous auriez vu les *Anges*
devant vous, et la Bordeaux, qui étoit habillée en petite
mignonne. Monsieur le Duc était derrière, Pomenars au-
dessus, avec les laquais, son manteau dans son nez, parce que
le comte de Créance le veut faire pendre, quelque résistance
qu'il y fasse ; tout le bel-air étoit sur le théâtre. M. le marquis de Villeroi avait un habit de bal ; le comte de Guiche
ceinturé comme son esprit ; tout le reste en bandits. J'ai
vu deux fois ce comte chez M. de la Rochefoucauld ; il me
parut avoir bien de l'esprit, et il étoit moins surnaturel qu'à
l'ordinaire.

Voilà notre abbé, chez qui je suis, qui vous mande qu'il a reçu le plan de Grignan, dont il est très-content : il s'y promène déjà par avance ; il voudroit bien en avoir le profil : pour moi, j'attends à le bien posséder que je sois dedans.
5 J'ai mille compliments à vous faire de tous ceux qui ont entendu les agréables paroles du Roi pour M. de Grignan.   Mme de Verneuil me vint la première.   Elle a pensé mourir.

Adieu, ma divine bonne ; que vous dirai-je de mon amitié 10 et de tout l'intérêt que je prends à vous à vingt lieues à la ronde, depuis les plus grandes jusques aux plus petites choses ?   M. d'Harouys est arrivé.   J'ai donné toutes vos réponses.   J'embrasse l'admirable Grignan, le prudent coadjuteur, et le présomptueux Adhémar : n'est-ce pas là comme 15 je les nommois l'autre jour ?

## 239.—DE MADAME DE SEVIGNE A MADAME DE GRIGNAN.

A PARIS, *mercredi 20ᵉ janvier* [*1672*].

Voilà les Maximes de M. de la Rochefoucauld revues, corrigées et augmentées : c'est de sa part que je vous les envoie.   Il y en a de divines ; et à ma honte, il y en a que 20 je n'entends point : Dieu sait comme vous les entendrez.

Il y a un démêlé entre l'archevêque de Paris et l'archevêque de Reims : c'est pour une cérémonie.   Paris veut que Reims demande permission d'officier ; Reims jure qu'il n'en fera rien.   On dit que ces deux hommes ne s'accorderont 25 jamais bien qu'ils ne soient à trente lieues l'un de l'autre. Ils seront donc toujours mal.   Cette cérémonie est une canonisation d'un Borgia, jésuite ; toute la musique de l'Opéra y fait rage : il y a des lumières jusque dans la rue Saint-Antoine ; on s'y tue.   Le vieux Mérinville est mort 30 sans y aller.

Ne vous trompez-vous point, ma chère fille, dans l'opinion
que vous avez de mes lettres? L'autre jour un pendard
d'homme, voyant ma lettre infinie, me demanda si je pensois qu'on pût lire cela: j'en tremblai, sans dessein toute-
fois de me corriger; et me tenant à ce que vous m'en dites, 5
je ne vous épargnerai aucune bagatelle, grande ou petite,
qui vous puisse divertir. Pour moi, c'est ma vie et mon
unique plaisir que le commerce que j'ai avec vous; toutes
choses sont ensuite bien loin après.

Je suis en peine de votre petit frère: il a bien froid, il 10
campe, il marche vers Cologne pour un temps infini. J'es-
pérois de le voir cet hiver, et le voilà. Enfin il se trouve
que Mademoiselle d'Adhémar est la consolation de ma vieil-
lesse: je voudrois aussi que vous vissiez comme elle m'aime,
comme elle m'appelle, comme elle m'embrasse. Elle n'est 15
point belle, mais elle est aimable; elle a un son de voix
charmant; elle est blanche, elle est nette: enfin je l'aime.
Vous me paroissez folle de votre fils: j'en suis fort aise.
On ne sauroit avoir trop de fantaisies, musquées ou point
musquées, il n'importe. 20

Il y a demain un bal chez Madame. J'ai vu chez Mademoiselle l'agitation des pierreries: cela m'a fait souvenir de
nos tribulations passées, et plût à Dieu y être encore!
Pouvois-je être malheureuse avec vous? Toute ma vie est
pleine de repentir. Monsieur Nicole, ayez pitié de moi, et 25
me faites bien envisager les ordres de la Providence. Adieu,
ma chère fille, je n'oserois dire que je vous adore, mais je
ne puis concevoir qu'il y ait un degré d'amitié au delà de la
mienne. Vous m'adoucissez et m'augmentez mes ennuis,
par les aimables et douces assurances de la vôtre. 30

### 244.—DE MADAME DE SEVIGNE A MADAME DE GRIGNAN.

A Sainte-Marie du faubourg, *vendredi 29e janvier* [*1672*],
jour de saint François de Sales, et jour que vous fûtes
mariée. Voilà ma première radoterie; c'est que je fais
des bouts de l'an de tout.

5  Me voici dans un lieu, ma bonne, qui est le lieu du monde
où j'ai pleuré, le jour de votre départ, le plus abondamment
et le plus amèrement : la pensée m'en fait tressaillir. Il y
a une bonne heure que je me promène toute seule dans le
jardin : toutes nos sœurs sont à vêpres, embarrassées d'une
10 méchante musique ; et moi, j'ai eu l'esprit de m'en dispen-
ser. Ma bonne, je n'en puis plus ; votre souvenir me tue
en mille occasions : j'ai pensé mourir dans ce jardin, où je
vous ai vue mille fois. Je ne veux point vous dire en quel
état je suis : vous avez une vertu sévère, qui n'entre point
15 dans la foiblesse humaine. Il y a des jours, des heures, des
moments où je ne suis pas la maîtresse ; je suis foible, et ne
me pique point de ne l'être pas : tant y a, je n'en puis plus,
et pour m'achever, voilà un homme que j'avois envoyé chez
le chevalier de Grignan, qui me dit qu'il est extraordinaire-
20 ment mal. Cette pitoyable nouvelle n'a pas séché mes yeux.
Je crois qu'il dispose de ce qu'il a en votre faveur : gardez-
le, quoique ce soit peu, pour une marque de sa tendresse, et
ne le donnez point, comme votre cœur le voudroit : il n'y a
pas un de vos beaux-frères qui, à proportion, ne soit plus
25 riche que vous. Je ne vous puis dire le déplaisir que j'ai
dans la crainte de cette perte. Hélas ! un petit aspic,
comme M. de Rohan, revient de la mort ; et cet aimable
garçon, bien né, bien fait, de bon naturel, d'un bon cœur,
dont la perte ne fait de bien à personne, nous va périr entre
30 les mains ! Si j'étois libre, je ne l'aurois pas abandonné, je
ne crains point son mal ; mais je ne fais pas sur cela ma

volonté. Vous recevrez cet ordinaire des lettres écrites plus tard, qui vous parleront plus précisément de ce malheur. Pour moi, je me contente de le sentir.

Voilà une permission de vendre et de transporter vos bleds. M. le Camus l'a obtenue, et y a joint une lettre de 5 lui. Je n'ai jamais vu un si bon homme, ni plus vif sur tout ce qui vous regarde. Écrivez-moi quelque chose de lui, que je lui puisse lire.

Hier au soir, Mme du Fresnoy soupa chez nous. C'est une nymphe, c'est une divinité ; mais Mme Scarron, Mme 10 de la Fayette et moi, nous voulûmes la comparer à Madame de Grignan, et nous la trouvâmes cent piques au-dessous, non pas pour l'air et pour le teint ; mais ses yeux sont étranges, son nez n'est pas comparable au vôtre, sa bouche n'est point finie, la vôtre est parfaite ; et elle est tellement 15 recueillie dans sa beauté, que je trouve qu'elle ne dit précisément que les paroles qui lui siéent bien : il est impossible de se la représenter parlant communément et d'affection sur quelque chose. C'est la résidence de l'abbé Têtu auprès de la plus belle ; il ne la quitta pas. Et pour 20 votre esprit, ces dames ne mirent aucun degré au-dessus du vôtre ; et votre conduite, votre sagesse, votre raison, tout fut célébré. Je n'ai jamais vu une personne si bien louée ; je n'eus pas le courage de faire les honneurs de vous, ni de parler contre ma conscience. 25

On dit que le chancelier est mort : je ne sais point si on donnera les sceaux avant que cette poste parte. La Comtesse est très-affligée de la mort de sa fille ; elle est au couvent de Sainte-Marie à Saint-Denis.

Adieu, ma très-chère, cette lettre sera courte : je ne puis 30 rien écrire dans l'état où je suis : vous n'avez pas besoin de ma tristesse ; mais si quelquefois vous en recevez d'infinies, ne vous en prenez qu'à vous, et à vos flatteries sur le plaisir que vous donne leur longueur ; vous n'oseriez plus vous en plaindre.

Je vous embrasse mille fois, et m'en retourne à mon jardin,
et puis à un bout de salut, et puis chez des malades qui sont
aussi chagrins que moi.

Voilà Madeleine-Agnès qui entre, et qui vous salue en
5 Notre-Seigneur.


### 251. — DE MADAME DE SEVIGNE A MADAME DE GRIGNAN.

A PARIS, *mercredi 24e février* [*1672*].

J'ai reçu tout à la fois vos deux lettres.  Je n'ai pu voir
votre douleur sans renouveler la mienne.  Je vous trouve
véritablement affligée, et c'est avec tant de raison qu'il n'y
10 a pas un mot à vous répondre : j'ai senti tout ce que vous
sentez, et je n'avois point attendu la mort de ce pauvre Chevalier, pour en dire tous les biens qui se trouvoient en lui.
Je vous plains de l'avoir vu cet automne : c'est une circonstance à votre douleur.  Monsieur d'Uzès vous mandera ce
15 que le Roi lui a dit là-dessus, à quoi toute la famille doit
prendre part.  On l'a fort regretté dans ce pays-là, et la
Reine m'en parla avec bonté.  Enfin tout cela ne nous rend
point cet aimable garçon.  Vous aimez si chèrement toute
la famille de M. de Grignan, que je vous crois aussi affligée
20 que lui.

J'ai dîné aujourd'hui avec plusieurs Provençaux chez M.
de Valavoire.  Le mari et la femme sont les meilleures gens
du monde.  Je vous plains de n'avoir point la femme, vous
n'avez rien de si bon : elle est raisonnable et naturelle ; elle
25 me plaît fort.  Nous avions MM. de Bouc, d'Oppède, de
Gordes et de Soliers, Mme de Buzanval, Monsieur d'Uzès,
M. et Mme de Coulanges.  Votre santé a été célébrée au
plus beau repas que j'aie jamais vu ; nous avons été bien
heureux de commencer les premiers.

On a fort conté ici la bonne réception que vous avez faite
à M. le duc d'Estrées : il en a écrit des merveilles à ses enfants.   Mme de Rochefort n'a qu'un cri, depuis que vous
avez écrit à ses cousines, sans lui dire un mot.   Pour moi,
je vous conseille de lui écrire, et de tâcher de l'apaiser à   5
quelque prix que ce soit.

Ce que vous me mandez de votre séjour infini me brise le
cœur : ma raison n'est pas si forte que la vôtre, et je me
perds dans les réflexions que cela me fait faire.   Adieu, ma
chère fille ; il faut finir tout court en cet endroit.   10

Mme de Villars vous fait ses compliments, et à M. de
Grignan, et au Coadjuteur.   M. Chapelain a reçu votre souvenir avec enthousiasme.   Il dit que l'*Adone* est délicieux
en certains endroits, mais d'une longueur assommante.   Le
chant de la comédie est admirable; il y a aussi un petit ros-   15
signol qui s'égosille pour surmonter un homme qui joue du
luth.   Il se vient percher sur sa tête, et enfin il meurt; on
l'enterre dans le corps du luth.   Cette peinture est charmante.   M. et Mme de Coulanges vous disent mille amitiés;
ils sont occupés de leur mariage ; ils s'en vont à Pâques; ils   20
me recevront à Lyon, et moi je les recevrai à Grignan.   Ma
tante est toujours très-mal ; elle vous remercie de vos bontés,
et l'abbé vous est toujours tout dévoué.


### 252. — DE MADAME DE SEVIGNE A MADAME DE GRIGNAN.

A PARIS, *vendredi au soir, 26e février* [*1672*].

J'ai reçu la lettre que vous m'avez écrite pour M. de la   25
Valette.   Tout m'est cher de ce qui vient de vous : je lui
veux faire avoir Pellisson pour rapporteur, afin de voir s'il
sait bien faire le maître des requêtes ; je ne le puis croire
si je ne le vois.

Cette pauvre Madame est toujours à l'agonie; c'est une
chose étrange que l'état où elle est.   Mais tout est en émotion dans Paris.   Le courrier d'Espagne est revenu : il dit
que non-seulement la reine d'Espagne se tient au traité des
5 Pyrénées, qui est de ne point accabler ses alliés; mais qu'elle
défendra les Hollandois de toute sa puissance : voilà donc
la plus grande guerre du monde allumée; et pourquoi?
C'est bien proprement *les petits soufflets :* vous en souvient-
il?   Nous allons attaquer la Flandre; les Hollandois se
10 joindront aux Espagnols; Dieu nous garde des Suédois,
des Anglois, des Allemands !   Je suis assommée de cette
nouvelle.   Je voudrois bien que quelque ange voulût descendre du ciel pour calmer tous les esprits, et faire la paix.

Notre Cardinal est toujours malade; je lui rends de grands
15 soins.   Il vous aime toujours; il compte que vous l'aimez
aussi.   L'affaire de Mme de Courcelles réjouit fort le
parterre.   Les charges de la Tournelle sont enchéries depuis
qu'elle doit être sur la sellette; elle est plus belle que jamais.
Elle boit, et mange, et rit, et ne se plaint que de n'avoir
20 point encore trouvé d'amant à la Conciergerie.

Je vous éclaircirai un peu mieux l'affaire dont vous me
parlâtes l'autre jour; mais M. le comte de Guiche ni M. de
Longueville n'en sont point, ce me semble : enfin je vous en
instruirai.   M. de Boufflers a tué un homme, après sa mort.
25 Il étoit dans sa bière et en carrosse, on le menoit à une
lieue de Boufflers pour l'enterrer; son curé étoit avec le corps.
On verse; la bière coupe le cou au pauvre curé.   Hier un
homme versa en revenant de Saint-Germain; il se creva le
cœur, et mourut dans le carrosse.

30 Mme Scarron, qui soupe ici tous les soirs, et dont la
compagnie est délicieuse, s'amuse et se joue avec votre fille.
Elle la trouve jolie, et point du tout laide.   Cette petite
appeloit hier l'abbé Têtu *son papa :* il s'en défendit par de
très-bonnes raisons, et nous le crûmes.   Je vous embrasse,

ma très-aimable.   Je vous mandai tant de choses en dernier
lieu, qu'il me semble que je n'ai rien à dire aujourd'hui ; je
vous assure pourtant que je ne demeurerois pas court, si je
voulois vous dire tous les sentiments que j'ai pour vous.

254.— DE MADAME DE SEVIGNE A MADAME DE
GRIGNAN.

A Paris, *vendredi 4e mars [1672]*.     5

Vous dites donc, ma fille, que vous ne sauriez haïr vivement si longtemps ; c'est fort bien fait : je suis assez comme
vous ; mais devinez ce que je fais bien en récompense, c'est
d'aimer vivement qui vous savez, sans que l'absence puisse
rien diminuer de ma tendresse.   Vous m'apparoissez dans  10
une négligence qui m'afflige : il est vrai que vous ne demandez que des prétextes ; c'est votre goût naturel ; mais moi,
qui vous ai toujours grondée là-dessus, je vous gronde encore.   De vous et de Mme du Fresnoi, on en pétriroit une
personne dans le juste-milieu : vous êtes aux deux extré-  15
mités, et assurément la vôtre est moins insupportable ; mais
c'est toujours une extrémité.   J'admire quelquefois les riens
que ma plume veut dire ; je ne la contrains point : je suis
bien heureuse que de tels fagotages vous plaisent.   Il y a
des gens qui ne s'en accommoderoient pas ; mais je vous  20
prie au moins de ne les point regretter, quand je serai avec
vous.   Me voilà jalouse de mes lettres.

Le dîner de M. de Valavoire effaça entièrement le nôtre,
non pas par la quantité des viandes, mais par l'extrême délicatesse, qui a surpassé celle de tous *les Coteaux*.          25

Hé ! ma fille, comme vous voilà faite !   Mme de la Fayette
vous grondera comme un chien.   Coiffez-vous demain pour
l'amour de moi : l'excès de la négligence étouffe la beauté ;
vous poussez la tristesse au delà de toutes les mesures.

J'ai fait tous vos compliments ; tous ceux que l'on vous
fait surpassent le nombre des étoiles.   A propos d'étoiles,
la Gouville étoit l'autre jour chez la Saint-Loup, qui a perdu
son vieux Page.   La Gouville discouroit et parloit de son
5 étoile ; enfin que c'étoit son étoile qui avait fait ceci, qui
avoit fait cela.   Segrais se réveilla comme d'un sommeil, et
lui dit : "Mais, Madame, pensez-vous avoir une étoile à
vous toute seule ?   Je n'entends que des gens qui parlent
de leur étoile ; il semble qu'ils ne disent rien.   Savez-vous
10 bien qu'il n'y en a que mille vingt-deux ? voyez s'il peut y
en avoir pour tout le monde."   Il dit cela si plaisamment et
si sérieusement, que l'affliction en fut déconcertée.

C'est d'Hacqueville qui fait tenir vos lettres à Mme de
Vaudemont : je ne le vois quasi plus en vérité ; les gros
15 poissons mangent les petits.

Adieu, ma très-chère et très-aimable ; je vous prépare
*Bajazet* et les *Contes* de la Fontaine pour vous divertir.   M.
de la Rochefoucauld entend sa maxime dans le sens relâché
que votre philosophie condamne.   Epictète n'auroit pas été
20 de son avis.

### 257. — DE MADAME DE SEVIGNE A MADAME DE GRIGNAN.

A PARIS, *mercredi 16ᵉ mars* [*1672*].

Vous me parlez de mon départ : ah ! ma chère fille ! je
languis dans cet espoir charmant.   Rien ne m'arrête que
ma tante, qui se meurt de douleur et d'hydropisie.   Elle me
25 brise le cœur par l'état où elle est, et par tout ce qu'elle dit
de tendre et de bon sens.   Son courage, sa patience, sa
résignation, tout cela est admirable.   M. d'Hacqueville et
moi, nous suivons son mal jour à jour : il voit mon cœur, et
la douleur que j'ai de n'être pas libre tout présentement.
30 Je me conduis par ses avis ; nous verrons entre ci et Pâques.

Si son mal augmente, comme il a fait depuis que je suis ici,
elle mourra entre nos bras; si elle reçoit quelque soulagement, et qu'elle prenne le train de languir, je partirai dès
que M. de Coulanges sera revenu. Notre pauvre abbé est
au désespoir, aussi bien que moi; nous verrons donc comme 5
cet excès de mal se tournera dans le mois d'avril. Je n'ai
que cela dans la tête: vous ne sauriez avoir tant d'envie de
me voir que j'en ai de vous embrasser; bornez votre ambi-
tion, et ne croyez pas me pouvoir jamais égaler là-dessus.

Mon fils me mande qu'ils sont misérables en Allemagne, 10
et ne savent ce qu'ils font. Il a été très-affligé de la mort du
chevalier de Grignan.

Vous me demandez, ma chère enfant, si j'aime toujours
bien la vie. Je vous avoue que j'y trouve des chagrins cui-
sants; mais je suis encore plus dégoûtée de la mort: je me 15
trouve si malheureuse d'avoir à finir tout ceci par elle, que
si je pouvois retourner en arrière, je ne demanderois pas
mieux. Je me trouve dans un engagement qui m'embarrasse: je suis embarquée dans la vie sans mon consentement; il faut que j'en sorte, cela m'assomme; et comment 20
en sortirai-je? par où? par quelle porte? quand sera-ce? en
quelle disposition? souffrirai-je mille et mille douleurs, qui
me feront mourir désespérée? aurai-je un transport au cer-
veau? mourrai-je d'un accident? comment serai-je avec
Dieu? qu'aurai-je à lui présenter? la crainte, la nécessité, 25
feront-elles mon retour vers lui? n'aurai-je aucun autre sentiment que celui de la peur? Que puis-je espérer? suis-je
digne du paradis? suis-je digne de l'enfer? Quelle alterna-
tive! quel embarras! Rien n'est si fou que de mettre son
salut dans l'incertitude; mais rien n'est si naturel, et la sotte 30
vie que je mène est la chose du monde la plus aisée à comprendre. Je m'abîme dans ces pensées, et je trouve la mort
si terrible, que je hais plus la vie parce qu'elle m'y mène,
que par les épines qui s'y rencontrent. Vous me direz que

je veux vivre éternellement.  Point du tout; mais si on
m'avoit demandé mon avis, j'aurois bien aimé à mourir
entre les bras de ma nourrice: cela m'auroit ôté bien des
ennuis, et m'auroit donné le ciel bien sûrement et bien aisé-
5 ment; mais parlons d'autre chose.

   Je suis au désespoir que vous ayez eu *Bajazet* par d'autres que par moi.  C'est ce chien de Barbin qui me hait,
parce que je ne fais pas des *Princesses de Clèves* et *de Montpensier*.  Vous en avez jugé très-juste et très-bien, et vous
10 aurez vu que je suis de votre avis.  Je voulois vous envoyer
la Champmeslé pour vous réchauffer la pièce.  Le personnage de Bajazet est glacé; les mœurs des Turcs y sont mal
observées; ils ne font point tant de façons pour se marier;
le dénoûment n'est point bien préparé: on n'entre point
15 dans les raisons de cette grande tuerie.  Il y a pourtant des
choses agréables, et rien de parfaitement beau, rien qui enlève, point de ces tirades de Corneille qui font frissonner.
Ma fille, gardons-nous bien de lui comparer Racine, sentons-
en la différence.  Il y a des endroits froids et foibles, et
20 jamais il n'ira plus loin qu'*Alexandre* et qu'*Andromaque*.
*Bajazet* est au-dessous, au sentiment de bien des gens, et
au mien, si j'ose me citer.  Racine fait des comédies pour
la Champmeslé: ce n'est pas pour les siècles à venir.  Si
jamais il n'est plus jeune, et qu'il cesse d'être amoureux, ce
25 ne sera plus la même chose.  Vive donc notre vieil ami Corneille!  Pardonnons-lui de méchants vers, en faveur des
divines et sublimes beautés qui nous transportent: ce sont
des traits de maître qui sont inimitables.  Despréaux en dit
encore plus que moi; et en un mot, c'est le bon goût: tenez-
30 vous-y.

   Voici un bon mot de Mme Cornuel, qui a fort réjoui
le parterre.  M. Tambonneau le fils a quitté la robe: avec
ce bel air, il veut aller sur la mer: je ne sais ce que lui a
fait la terre.  On disoit donc à Mme Cornuel qu'il s'en

alloit à la mer: "Hélas! dit-elle, est-ce qu'il a été mordu
d'un chien enragé?" Cela fut dit sans malice, c'est ce qui
a fait rire extrêmement.

Mme de Courcelles est fort embarrassée: on lui refuse
toutes ses requêtes; mais elle dit qu'elle espère qu'on aura 5
pitié d'elle, puisque ce sont des hommes qui sont ses juges.
Notre Coadjuteur ne lui feroit point de grâce présentement;
vous me le représentez dans les occupations de saint
Ambroise.

Il me semble que vous deviez vous contenter que votre 10
fille fût faite à son image et semblance: votre fils veut aussi
lui ressembler; mais, sans offenser la beauté du Coadjuteur,
où est donc la belle bouche de ce petit garçon? où sont ses
agréments? Il ressemble donc à sa sœur: vous m'embar-
rassez fort par cette ressemblance. 15

Je ne saurois vous plaindre de n'avoir point de beurre en
Provence, puisque vous avez de l'huile admirable et d'excellent poisson. Ah! ma fille, que je comprends bien ce que
peuvent faire et penser des gens comme vous, au milieu de
votre Provence! Je la trouverai comme vous, et je vous 20
plaindrai toute ma vie d'y passer de si belles années de la
vôtre. Je suis si peu désireuse de briller dans votre cour
de Provence, et j'en juge si bien par celle de Bretagne, que
par la même raison qu'au bout de trois jours à Vitré, je ne
respirois que les Rochers, je vous jure devant Dieu que 25
l'objet de mes désirs, c'est de passer l'été à Grignan avec
vous: voilà où je vise, et rien au delà. Mon vin de Saint-
Laurent est chez Adhémar, je l'aurai demain matin; il y a
longtemps que je vous en ai remerciée *in petto:* cela est bien
obligeant. Monsieur de Laon aime bien cette manière d'être 30
cardinal. On assure que l'autre jour M. de Montausier,
parlant à Monsieur le Dauphin de la dignité des cardinaux,
lui dit que cela dépendoit du pape, et que s'il vouloit faire
cardinal un palefrenier, il le pourroit. Là-dessus le cardinal

de Bonzi arrive; Monsieur le Dauphin lui dit : "Monsieur,
est-il vrai que si le pape vouloit, il feroit cardinal un palefrenier ?" M. de Bonzi fut surpris; et devinant l'affaire,
il lui répondit: "Il est vrai, Monsieur, que le pape choisit
5 qui il lui plaît ; mais nous n'avons pas vu jusqu'ici qu'il ait
pris des cardinaux dans son écurie." C'est le cardinal de
Bouillon qui m'a conté ce détail.

J'ai fort entretenu Monsieur d'Uzès. Il vous mandera la
conférence qu'il a eue : elle est admirable. Il a un esprit
10 posé et des paroles mesurées, qui sont d'un grand poids
dans ces occasions : il fait et dit toujours très-bien partout.
On disoit de Jarzé ce qu'on vous a dit ; mais cela est incertain. On prétend que la joie de la dame n'est pas médiocre
pour le retour du chevalier de Lorraine. On dit aussi
15 que le comte de Guiche et Mme de Brissac sont tellement
sophistiqués, qu'ils auroient besoin d'un truchement pour
s'entendre eux-mêmes. Ecrivez un peu à notre cardinal,
il vous aime; le faubourg vous aime; Mme Scarron vous
aime; elle passe ici le carême, et céans presque tous les
20 soirs. Barillon y est encore, et plût à Dieu, ma belle, que
vous y fussiez aussi ! Adieu, mon enfant; je ne finis point.
Je vous défie de pouvoir comprendre combien je vous aime.

### 273. — DE MADAME DE SEVIGNE A MADAME DE GRIGNAN.

A Paris, *vendredi 6e mai [1672]*.

Ma bonne, il faut que je vous conte une radoterie que je
25 ne puis éviter. Je fus hier à un service de Monsieur le
chancelier à l'Oratoire. Ce sont les peintres, les sculpteurs,
les musiciens et les orateurs qui en ont fait la dépense : en
un mot, les quatre arts libéraux. C'étoit la plus belle décoration qu'on puisse imaginer : le Brun avoit fait le dessin. Le
30 mausolée touchoit à la voûte, orné de mille lumières et de

plusieurs figures convenables à celui qu'on vouloit louer.
Quatre squelettes en bas étoient chargés des marques de sa
dignité, comme lui ôtant les honneurs avec la vie. L'un
portoit son mortier, l'autre sa couronne de duc, l'autre son
ordre, l'autre ses masses de chancelier. Les quatre Arts 5
étoient éplorés et désolés d'avoir perdu leur protecteur: la
Peinture, la Musique, l'Éloquence et la Sculpture. Quatre
Vertus soutenoient la première représentation: la Force, la
Justice, la Tempérance et la Religion. Quatre anges ou
quatre génies recevoient au-dessus cette belle âme. Le 10
mausolée étoit encore orné de plusieurs anges qui soutenoient une chapelle ardente, qui tenoit à la voûte. Jamais
il ne s'est rien vu de si magnifique, ni de si bien imaginé:
c'est le chef-d'œuvre de le Brun. Toute l'église étoit parée
de tableaux, de devises, d'emblèmes qui avoient rapport 15
à la vie ou aux armes du chancelier. Plusieurs actions
principales y étoient peintes. Mme de Verneuil vouloit
acheter toute cette décoration un prix excessif. Ils ont
tous, en corps, résolu d'en parer une galerie, et de laisser
cette marque de leur reconnoissance et de leur magnificence 20
à l'éternité. L'assemblée étoit grande et belle, mais sans
confusion. J'étois auprès de Monsieur de Tulle, de M. Colbert, de M. de Monmouth, beau comme du temps du Palais-
Royal, qui, par parenthèse, s'en va à l'armée trouver le Roi.
Il est venu un jeune Père de l'Oratoire pour faire l'oraison 25
funèbre. J'ai dit à Monsieur de Tulle de le faire descendre,
et de monter à sa place, et que rien ne pouvoit soutenir la
beauté du spectacle et la perfection de la musique, que la
force de son éloquence. Ma bonne, ce jeune homme a
commencé en tremblant; tout le monde trembloit aussi. Il 30
a débuté par un accent provençal; il est de Marseille; il
s'appelle Laisné; mais en sortant de son trouble, il est
entré dans un chemin lumineux. Il a si bien établi son
discours; il a donné au défunt des louanges si mesurées; il

a passé par tous les endroits délicats avec tant d'adresse; il
a si bien mis dans son jour tout ce qui pouvoit être admiré;
il a fait des traits d'éloquence et des coups de maître si à
propos et de si bonne grâce, que tout le monde, je dis tout
5 le monde, sans exception, s'en est écrié, et chacun étoit
charmé d'une action si parfaite et si achevée. C'est un
homme de vingt-huit ans, intime ami de Monsieur de Tulle,
qui s'en va avec lui. Nous le voulions nommer le chevalier Mascaron; mais je crois qu'il surpassera son aîné.

10 Pour la musique, c'est une chose qu'on ne peut expliquer.
Baptiste avoit fait un dernier effort de toute la musique du
Roi. Ce beau *Miserere* y étoit encore augmenté; il y a eu
un *Libera* où tous les yeux étoient pleins de larmes. Je ne
crois point qu'il y ait une autre musique dans le ciel.

15 Il y avoit beaucoup de prélats; j'ai dit à Guitaud: "Cherchons un peu notre ami Marseille"; nous ne l'avons point
vu. Je lui ai dit tout bas: "Si c'étoit l'oraison funèbre de
quelqu'un qui fût vivant, il n'y manqueroit pas." Cette
folie l'a fait rire, sans aucun respect de la pompe funèbre.

20 Ma bonne, quelle espèce de lettre est-ce ceci? Je pense
que je suis folle. A quoi peut servir une si grande narration?
Vraiment, j'ai bien contenté le désir que j'avois de conter.

Le Roi est à Charleroi, et y fera un assez long séjour. Il
n'y a point encore de fourrages, les équipages portent la
25 famine avec eux: on est assez embarrassé dès le premier
pas de cette campagne.

Guitaud m'a montré votre lettre, et à l'abbé: *envoyez-moi
ma mère.* Ma bonne, que vous êtes aimable, et que vous
justifiez agréablement l'excessive tendresse qu'on voit que
30 j'ai pour vous! Hélas! je ne songe qu'à partir, laissez-m'en
le soin; je conduis des yeux toutes choses; et si ma tante
prenoit le chemin de traîner, en vérité je partirois. Vous
seule au monde me pouvez faire résoudre à la quitter dans
un si pitoyable état; nous verrons: je vis au jour la journée,

et n'ai pas le courage de rien décider.  Un jour je pars, le
lendemain je n'ose ; enfin, ma bonne, vous dites vrai, il y a
des choses bien désobligeantes dans la vie.

Vous me priez de ne point songer à vous en changeant de
maison ; et moi, je vous prie de croire que je ne songe qu'à     5
vous, et que vous m'êtes si extrêmement chère, que vous
faites toute l'occupation de mon cœur.  J'irai demain coucher dans ce joli appartement où vous serez placée sans me
déplacer.  Demandez au marquis d'Oppède, il l'a vu ; il dit
qu'il s'en va vous trouver.  Hélas ! qu'il est heureux !  J'at-  10
tends des lettres de Pompone.  Nous n'avons point de premier président.  Adieu, ma belle petite ; vous êtes par le
monde ; vous voyagez ; je crains votre humeur hasardeuse :
je ne me fie ni à vous, ni à M. de Grignan.  Il est vrai que
c'est une chose étrange, comme vous le dites, de se trouver   15
à Aix après avoir fait cent lieues, et au Saint-Pilon après
avoir grimpé si haut.  Il y a quelquefois des endroits dans
vos lettres qui sont fort plaisants, mais il vous échappe des
périodes comme à Tacite ; j'ai trouvé cette comparaison : il
n'y a rien de plus vrai.  J'embrasse Grignan et le baise à la  20
joue droite, au-dessous de sa *touffe ébouriffée.*

287.—DE MADAME DE SEVIGNE A MADAME DE
GRIGNAN.

A PARIS, *20e juin* [*1672*].

Il m'est impossible de me représenter l'état où vous avez
été, ma bonne, sans une extrême émotion ; et quoique je
sache que vous en êtes quitte, Dieu merci, je ne puis tourner  25
les yeux sur le passé sans une horreur qui me trouble.
Hélas ! que j'étois mal instruite d'une santé qui m'est si
chère !  Qui m'eût dit en ce temps-là : "Votre fille est plus
en danger que si elle étoit à l'armée ?"  Hélas ! j'étois bien
loin de le croire, ma pauvre bonne.  Faut-il donc que je    30

trouve cette tristesse avec tant d'autres qui se trouvent présentement dans mon cœur?   Le péril extrême où se trouve
mon fils, la guerre qui s'échauffe tous les jours, les courriers
qui n'apportent plus que la mort de quelqu'un de nos amis
5 ou de nos connoissances et qui peuvent apporter pis, la
crainte que l'on a des mauvaises nouvelles et la curiosité
qu'on a de les apprendre, la désolation de ceux qui sont
outrés de douleur, avec qui je passe une partie de ma vie;
l'inconcevable état de ma tante, et l'envie que j'ai de vous
10 voir: tout cela me déchire et me tue, et me fait mener une
vie si contraire à mon humeur et à mon tempérament, qu'en
vérité il faut que j'aie une bonne santé pour y résister.

Vous n'avez jamais vu Paris comme il est.   Tout le
monde pleure, ou craint de pleurer.   L'esprit tourne à la
15 pauvre Mme de Nogent.   Mme de Longueville fait fendre
le cœur, à ce qu'on dit: je ne l'ai point vue, mais voici
ce que je sais.   Mlle de Vertus étoit retournée depuis
deux jours à Port-Royal, où elle est presque toujours.   On
est allé la querir, avec M. Arnauld, pour dire cette terrible
20 nouvelle.   Mlle de Vertus n'avoit qu'à se montrer:
ce retour si précipité marquoit bien quelque chose de
funeste.   En effet, dès qu'elle parut: "Ah, Mademoiselle!
comme se porte Monsieur mon frère?"   Sa pensée n'osa
aller plus loin.   "Madame, il se porte bien de sa blessure.—
25 Il y a eu un combat.   Et mon fils?"   On ne lui répondit
rien.   "Ah! Mademoiselle, mon fils, mon cher enfant, ré-
pondez-moi, est-il mort?—Madame, je n'ai point de parole
pour vous répondre.—Ah! mon cher fils! est-il mort sur-le-
champ? n'a-t-il pas eu un seul moment?   Ah mon Dieu!
30 quel sacrifice!"   Et là-dessus elle tombe sur son lit, et tout
ce que la plus vive douleur peut faire, et par des convulsions,
et par des évanouissements, et par un silence mortel, et par
des cris étouffés, et par des larmes amères, et par des élans
vers le ciel, et par des plaintes tendres et pitoyables, elle a

tout éprouvé.  Elle voit certaines gens.  Elle prend des
bouillons, parce que Dieu le veut.  Elle n'a aucun repos.
Sa santé, déjà très-mauvaise, est visiblement altérée.  Pour
moi, je lui souhaite la mort, ne comprenant pas qu'elle puisse
vivre après une telle perte.                                                     5

Il y a un homme dans le monde qui n'est guère moins
touché; j'ai dans la tête que s'ils s'étoient rencontrés tous
deux dans ces premiers moments, et qu'il n'y eût eu que
le chat avec eux, je crois que tous les autres sentiments
auroient fait place à des cris et à des larmes, qu'on auroit 10
redoublés de bon cœur: c'est une vision.  Mais enfin quelle
affliction ne montre point notre grosse marquise d'Uxelles
sur le pied de la bonne amitié!  Ses maîtresses ne s'en con-
traignent pas.  Toute sa pauvre maison revient; et son
écuyer, qui vint hier, ne paroît pas un homme raisonnable. 15
Cette mort efface les autres.

Un courrier d'hier au soir apporta la mort du comte du
Plessis, qui faisoit faire un pont.  Un coup de canon l'a
emporté.  On assiège Arnheim: on n'a pas attaqué le
fort de Schenk, parce qu'il y a huit mille hommes dedans. 20
Ah! que ces beaux commencements seront suivis d'une fin
tragique pour bien des gens!  Dieu conserve mon pauvre
fils! il n'a pas été de ce passage.  S'il y avoit quelque
chose de bon à un tel métier, ce seroit d'être attaché à
une charge, comme il est.  Mais la campagne n'est point 25
finie.

Au milieu de nos chagrins, la description que vous me
faites de Mme Colonne et de sa sœur est une chose divine;
elle réveille malgré qu'on en ait; c'est une peinture admirable.  La comtesse de Soissons et Mme de Bouillon 30
sont en furie contre ces folles, et disent qu'il les faut en-
fermer; elles se déclarent fort contre cette extravagante
folie.  On ne croit pas aussi que le Roi veuille fâcher M. le
connétable, qui est assurément le plus grand seigneur de

Rome.　En attendant, nous les verrons arriver comme Mlle
de l'Etoile : la comparaison est admirable.

　　Voilà des relations ; il n'y en a pas de meilleures.　Vous
verrez dans toutes que M. de Longueville est cause de sa
5 mort et de celle des autres, et que Monsieur le Prince a été
père uniquement dans cette occasion, et point du tout général d'armée.　Je disois hier, et l'on m'approuva, que si la
guerre continue, Monsieur le Duc sera la cause de la mort
de Monsieur le Prince ; son amour pour lui passe toutes ses
10 autres passions.　La Marans est abîmée ; elle dit qu'elle
voit bien qu'on lui cache les nouvelles, et qu'avec M. de
Longueville, Monsieur le Prince et Monsieur le Duc sont
morts aussi ; et qu'on lui dise, et qu'au nom de Dieu on ne
l'épargne point ; qu'aussi bien elle est dans un état qu'il est
15 inutile de ménager.　Si l'on pouvoit rire, on riroit.　Hélas !
si elle savoit combien on songe peu à lui cacher quelque
chose, et combien chacun est occupé de ses douleurs et de
ses craintes, elle ne croiroit pas qu'on eût tant d'application
à la tromper.

20 　　Mon Dieu, ma bonne, j'ai oublié de vous dire que votre
M. de Laurens vous porte un petit paquet que je vous
donne ; mais c'est de si bon cœur, et il me semble qu'il est
si bien choisi, que si vous pensez me venir faire des prônes
et des discours et des refus, vous me fâcherez et vous me
25 décontenancerez au dernier point.

　　Les nouvelles que je vous mande sont l'original : c'est de
Gourville qui étoit avec Mme de Longueville, quand elle
a reçu la nouvelle.　Tous les courriers viennent droit à lui.
M. de Longueville avoit fait son testament avant que de
30 partir.　Il laisse une grande partie de son bien à un fils
qu'il a, qui, à mon avis, paroîtra sous le nom de chevalier
d'Orléans, sans rien coûter à ses parents, quoiqu'ils ne
soient pas gueux.　Savez-vous où l'on mit le corps de M. de
Longueville ?　Dans le même bateau où il avoit passé tout

vivant.  Deux heures après, Monsieur le Prince le fit mettre
près de lui, couvert d'un manteau, dans une douleur sensible.  Il étoit blessé aussi, et plusieurs autres, de sorte
que ce retour est la plus triste chose du monde.  Ils sont
dans une ville au deçà du Rhin, qu'ils ont passé pour se 5
faire panser.  On dit que le chevalier de Montchevreuil, qui
étoit à M. de Longueville, ne veut pas qu'on le panse d'une
blessure qu'il a eue auprès de lui.

J'ai reçu une lettre de mon fils.  Il n'étoit pas à cette
première expédition; mais il sera d'une autre: peut-on 10
trouver quelque sûreté dans un tel métier?  Il est sensiblement touché de M. de Longueville.  Je vous conseille
d'écrire à M. de la Rochefoucauld sur la mort de son
chevalier et sur la blessure de M. de Marsillac.  J'ai vu son
cœur à découvert dans cette cruelle aventure; il est au pre- 15
mier rang de ce que j'ai jamais vu de courage, de mérite, de
tendresse et de raison.  Je compte pour rien son esprit et
son agrément.  Je ne m'amuserai point aujourd'hui à vous
dire combien je vous aime.  J'embrasse M. de Grignan et
le Coadjuteur. 20

A dix heures du soir.

Il y a deux heures que j'ai fait mon paquet, et en revenant de la ville je trouve la paix faite, selon une lettre qu'on
m'a envoyée.  Il est aisé de croire que toute la Hollande
est en alarmes et soumise: le bonheur du Roi est au-dessus 25
de tout ce qu'on a jamais vu.  On va commencer à respirer;
mais quel redoublement de douleur à Mme de Longueville, et à ceux qui ont perdu leurs chers enfants!  J'ai vu
le maréchal du Plessis, il est très-affligé, mais en grand
capitaine.  La maréchale pleure amèrement, et la Comtesse 30
est fâchée de n'être point duchesse; et puis c'est tout.  Ah!
ma fille, sans l'emportement de M. de Longueville, songez
que nous aurions la Hollande, sans qu'il nous en eût rien
coûté.

353.— DE MADAME DE SEVIGNE ET D'EMMANUEL DE
COULANGES A MADAME DE GRIGNAN.

A Paris, *lundi 4e décembre* [*1673*].

### DE MADAME DE SEVIGNE.

Me voilà toute soulagée de n'avoir plus Orange sur le
cœur ; c'étoit une augmentation par-dessus ce que j'ai accoutumé de penser, qui m'importunoit.    Il n'est plus question
présentement que de la guerre du syndicat: je voudrois
qu'elle fût déjà finie.    Je crois qu'après avoir gagné votre
petite bataille d'Orange, vous n'aurez pas tardé à commencer l'autre.    Vous ne sauriez croire la curiosité qu'on avoit
pour savoir le succès de ce beau siège; et on en parloit dans
le rang des nouvelles.    J'embrasse le vainqueur d'Orange,
et je ne lui ferai point d'autre compliment que de l'assurer
ici que j'ai une véritable joie que cette petite aventure soit
finie comme il le pouvoit souhaiter ; je désire un pareil succès à tous ses desseins, et l'embrasse de tout mon cœur.
C'est une chose agréable que l'attachement et l'amour de
toute la noblesse pour lui : il y a très-peu de gens qui
pussent faire voir une si belle suite pour une si légère
semonce.    M. de la Garde vient de partir pour voir un peu
ce qu'on dit de cette prise d'Orange.    Il est chargé de
toutes nos instructions, et sur le tout de son bon esprit, et
de son affection pour vous.    M. d'Hacqueville me mande
qu'il conseille à M. de Grignan d'écrire au Roi.    Il seroit à
souhaiter que par effet de magie cette lettre fût déjà entre
les mains de M. de Pompone, ou de M. de la Garde, car
je ne crois pas qu'elle puisse venir à propos.    L'affaire du
syndic s'est fortifiée dans ma tête par l'absence de celle
d'Orange.

Nous soupâmes encore hier avec Mme Scarron et l'abbé
Têtu chez Mme de Coulanges.    Nous causâmes fort ;
vous n'êtes jamais oubliée.    Nous trouvâmes plaisant de

l'aller remener à minuit au fin fond du faubourg Saint-Germain, fort au delà de Mme de la Fayette, quasi auprès de Vaugirard, dans la campagne: une belle et grande maison, où l'on n'entre point.   Il y a un grand jardin, de beaux et grands appartements.   Elle a un carrosse, des gens et des chevaux; elle est habillée modestement et magnifiquement, comme une femme qui passe sa vie avec des personnes de qualité.   Elle est aimable, belle, bonne et négligée: on cause fort bien avec elle.   Nous revînmes gaiement à la faveur des lanternes, et dans la sûreté des voleurs.     10

Mme d'Heudicourt est allée rendre ses devoirs: il y avoit longtemps qu'elle n'avoit paru en ce pays-là.   On juge par là que Mme Scarron n'a plus de vif ressentiment contre elle.   Son retour a pourtant été ménagé par d'autres, et ce n'est qu'une tolérance.   La petite d'Heudicourt est   15 jolie comme un ange; elle a été de son chef huit ou dix jours à la cour, toujours pendue au cou du Roi.   Cette petite avoit adouci les esprits par sa jolie présence: c'est la plus belle vocation pour plaire que vous ayez jamais vue. Elle a cinq ans; elle sait mieux la cour que les vieux cour-   20 tisans.

On disoit l'autre jour à Monsieur le Dauphin qu'il y avoit un homme à Paris qui avoit fait pour chef-d'œuvre un petit chariot qui étoit traîné par des puces.   Il dit à M. le prince de Conti: "Mon cousin, qui est-ce qui a fait les harnois?—   25 Quelque araignée du voisinage," dit le prince.   Cela est joli.

Ces pauvres filles sont toujours dispersées: on parle de faire des dames du palais, du lit, de la table, pour servir au lieu des filles.   Tout cela se réduira à quatre du palais, qui seront, à ce qu'on croit, la princesse d'Harcourt, Mme de   30 Soubise, Mme de Bouillon, Mme de Rochefort; et rien n'est encore assuré.   Adieu, ma très-aimable.   Je voulus hier aller à confesse.   Un très-habile homme me refusa très-bien l'absolution, à cause de ma haine pour l'évêque.

Si les vôtres ne vous en font pas autant, ce sont des igno-
rants qui ne savent pas leur métier.

   Mme de Coulanges vous embrasse : elle vouloit vous
écrire aujourd'hui.   Elle ne perd pas une occasion de vous
5 rendre service ; elle y est appliquée, et tout ce qu'elle dit est
d'un style qui plaît infiniment.   Elle se réjouit de la prise
d'Orange.   Elle va quelquefois à la cour, et jamais sans
avoir dit quelque chose d'agréable pour nous.

D'EMMANUEL DE COULANGES.

10

Que Madame d'Heudicourt
   Est une belle femme !
Chacun disait à la cour :
" Quoi ! la voilà de retour ! "
   Tredam', tredam', tredame.

15

Vos guerriers étant partis,
   C'eût été chose étrange
Que votre époux n'eût pas pris,
Au milieu de son pays,
   Orange, Orange, Orange.

20   Je m'en réjouis avec vous, Madame la Comtesse ; j'ai dit
mon *Te Deum* très-dévotement.   Voilà tout ce que je vous
puis dire, et à Monsieur le Comte, que j'aime et honore toujours comme il le mérite.

378. — DE MADAME DE SEVIGNE A MADAME DE
GRIGNAN.

A PARIS, *lundi 5e février* [*1674*].

25   Il y a aujourd'hui bien des années, ma chère bonne, qu'il
vint au monde une créature destinée à vous aimer préférablement à toutes choses ; je prie votre imagination de
n'aller ni à droite, ni à gauche :

Cet homme-là, Sire, c'étoit moi-même.

30   Il y eut hier trois ans que j'eus une des plus sensibles
douleurs de ma vie : vous partîtes pour la Provence, et vous

y êtes encore.  Ma lettre seroit longue, si je voulois vous
expliquer toute l'amertume que je sentis, et toutes celles que
j'ai senties depuis en conséquence de cette première.  Mais
revenons: je n'ai point reçu de vos lettres aujourd'hui, je ne
sais s'il m'en viendra; je ne le crois pas, il est trop tard:  5
cependant j'en attendois avec impatience; je voulois vous
voir partir d'Aix, et pouvoir supputer un peu juste votre
retour; tout le monde m'en assassine, et je ne sais que
répondre.

Je ne pense qu'à vous et à votre voyage : si je reçois de 10
vos lettres, après avoir envoyé celle-ci, soyez en repos; je
ferai assurément tout ce que vous me manderez.

Je vous écris aujourd'hui un peu plus tôt qu'à l'ordinaire.
M. de Corbinelli et Mlle de Méry sont ici, qui ont dîné avec
moi.  Je m'en vais à un petit opéra de Mollier, beau-père 15
d'Itier, qui se chante chez Pélissari: c'est une musique très-
parfaite ; Monsieur le Prince, Monsieur le Duc et Madame
la Duchesse y seront.  J'irai peut-être de là souper chez
Gourville avec Mme de la Fayette, Monsieur le Duc, Mme
de Thianges, et M. de Vivonne, à qui l'on dit adieu et 20
qui s'en va demain.  Si cette partie est rompue, j'irai chez
Mme de Chaulnes; j'en suis extrêmement priée par la maîtresse du logis et par les cardinaux de Retz et de Bouillon,
qui me l'avoient fait promettre.  Le premier cardinal est
dans une véritable impatience de vous voir : il vous aime 25
chèrement.  Voilà une lettre qu'il m'envoie.

On avait cru que Mademoiselle de Blois avoit la petite
vérole, mais cela n'est pas.  On ne parle point des nouvelles
d'Angleterre; on juge par là qu'elles ne sont pas bonnes.
On a fait un bal ou deux à Paris dans tout le carnaval; il y 30
a eu quelques masques, mais peu.  La tristesse est grande ;
les assemblées de Saint-Germain sont des mortifications pour
le Roi, et seulement pour marquer la cadence du carnaval.

Le P. Bourdaloue fit un sermon le jour de Notre-Dame,
qui transporta tout le monde ; il étoit d'une force qu'il faisoit
trembler les courtisans, et jamais un prédicateur évangélique
n'a prêché si hautement et si généreusement les vérités chré-
5 tiennes : il étoit question de faire voir que toute puissance
doit être soumise à la loi, à l'exemple de Notre-Seigneur, qui
fut présenté au temple ; enfin, ma bonne, cela fut poussé au
point de la plus haute perfection, et certains endroits furent
poussés comme les auroit poussés l'apôtre saint Paul.

10    L'archevêque de Reims revenoit hier fort vite de Saint-
Germain, comme un tourbillon. S'il croit être grand seigneur, ses gens le croient encore plus que lui. Ils passoient
au travers de Nanterre, *tra, tra, tra ;* ils rencontrent un
homme à cheval, *gare, gare ;* ce pauvre homme se veut
15 ranger, son cheval ne le veut pas ; enfin le carrosse et les
six chevaux renversent cul par-dessus tête le pauvre homme
et le cheval, et passent par-dessus, et si bien par-dessus que
le carrosse en fut versé et renversé : en même temps l'homme
et le cheval, au lieu de s'amuser à être roués et estropiés, se
20 relèvent miraculeusement, et remontent l'un sur l'autre, et
s'enfuient et courent encore, pendant que les laquais et
le cocher, et l'archevêque même, se mettent à crier : "Arrête,
arrête le coquin, qu'on lui donne cent coups." L'archevêque,
en racontant ceci, disoit : "Si j'avois tenu ce maraud-là, je
25 lui aurois rompu les bras et coupé les oreilles."

Je dînai encore hier chez Gourville avec Mme de Langeron, Mme de la Fayette, Mme de Coulanges, Corbinelli,
l'abbé Têtu, Briole, Gourville, mon fils. Votre santé fut
bue magnifiquement, et pris un jour pour nous y donner
30 à dîner. Adieu, ma très-chère et très-aimable ; je ne
vous puis dire à quel point je vous souhaite. Je m'en
vais encore adresser cette lettre à Lyon. J'ai envoyé les
deux premières au Chamarier ; il me semble que vous y
devez être, ou jamais.

Je reçois votre lettre du 28e; elle me ravit: ne craignez point, ma bonne, que ma joie se refroidisse; elle a un fond si chaud qu'elle ne peut être tiède.   Je ne suis occupée que de la joie sensible de vous voir et de vous embrasser avec des sentiments et des manières d'aimer qui sont d'une étoffe    5 au-dessus du commun et même de ce que l'on estime le plus.

405.—DE MADAME DE SEVIGNE A MADAME DE
GRIGNAN.

A Paris, *vendredi 7e juin [1675]*.

Enfin, ma fille, me voilà réduite à faire mes délices de vos lettres: il est vrai qu'elles sont d'un grand prix; mais quand je songe que c'étoit vous-même que j'avois, et que   10 j'ai eue quinze mois de suite, je ne puis retourner sur ce passé sans une grande tendresse et une grande douleur.   Il y a des gens qui m'ont voulu faire croire que l'excès de mon amitié vous incommodoit; que cette grande attention à vou- loir découvrir vos volontés, qui tout naturellement devenoient   15 les miennes, vous faisoit assurément une grande fadeur et un dégoût.   Je ne sais, ma chère enfant, si cela est vrai: ce que je puis vous dire, c'est qu'assurément je n'ai pas eu dessein de vous donner cette sorte de peine.   J'ai un peu suivi mon inclination, je l'avoue; et je vous ai vue autant   20 que je l'ai pu, parce que je n'ai pas eu assez de pouvoir sur moi pour me retrancher ce plaisir; mais je ne crois point vous avoir été pesante.   Enfin, ma fille, aimez au moins la confiance que j'ai en vous, et croyez qu'on ne peut jamais être plus dénuée ni plus touchée que je le suis en votre   25 absence.

La Providence m'a traitée bien rudement, et je me trouve fort à plaindre de n'en savoir pas faire mon salut.   Vous me dites des merveilles de la conduite qu'il faut avoir pour se gouverner dans ces occasions; j'écoute vos leçons, et je   30

tâche d'en profiter. Je suis dans le train de mes amis, je
vais, je viens; mais quand je puis parler de vous, je suis
contente, et quelques larmes me font un soulagement non-
pareil. Je sais les lieux où je puis me donner cette liberté;
5 vous jugez bien que, vous ayant vue partout, il m'est difficile
dans ces commencements de n'être pas sensible à mille
choses que je trouve en mon chemin.

Je vis hier les Villars, dont vous êtes révérée; nous étions
en solitude aux Tuileries; j'avois dîné chez Monsieur le
10 Cardinal, où je trouvai bien mauvais de ne vous voir pas.
J'y causai avec l'abbé de Saint-Mihel, à qui nous donnons, ce
me semble, comme en dépôt, la personne de Son Eminence;
il me parut un fort honnête homme, un esprit droit et tout
plein de raison, qui a de la passion pour lui, qui le gouver-
15 nera même sur sa santé, et l'empêchera bien de prendre le
feu trop chaud sur la pénitence. Ils partiront mardi, et ce
sera encore un jour douloureux pour moi, quoiqu'il ne puisse
être comparé à celui de Fontainebleau. Songez, ma fille,
qu'il y a déjà quinze jours, et qu'ils vont enfin, de quelque
20 manière qu'on les passe.

Tous ceux que vous m'avez nommés apprendront votre
souvenir avec bien de la joie; j'en suis mieux reçue. Je
verrai ce soir notre cardinal; il veut bien que je passe une
heure ou deux chez lui les soirs avant qu'il se couche, et que
25 je profite ainsi du peu de temps qui me reste. Corbinelli
étoit ici quand j'ai reçu votre lettre; il a pris beaucoup de
part au plaisir que vous avez eu de confondre un jésuite : il
voudroit bien avoir été le témoin de votre victoire. Mme
de la Troche a été charmée de ce que vous dites pour elle.
30 Soyez en repos de ma santé, ma chère enfant; je sais que
vous n'entendez pas de raillerie là-dessus. Le chevalier de
Grignan est parfaitement guéri. Je m'en vais envoyer votre
lettre chez M. de Turenne. Nos frères sont à Saint-Germain. J'ai envie de vous envoyer la lettre de la Garde;

vous y verrez en gros la vie qu'on fait à la cour. Le Roi
a fait ses dévotions à la Pentecôte. Mme de Montespan
les a faites de son côté; sa vie est exemplaire; elle est très-
occupée de ses ouvriers, et va à Saint-Cloud, où elle joue à
l'hoca. 5

A propos, les cheveux me dressèrent l'autre jour à la tête,
quand le Coadjuteur me dit qu'en allant à Aix il y avoit
trouvé M. de Grignan jouant à l'hoca. Quelle fureur! au
nom de Dieu, ne le souffrez point; il faut que ce soit là une
de ces choses que vous devez obtenir, si l'on vous aime. 10
J'espère que Pauline se porte bien, puisque vous ne m'en
parlez point; aimez-la pour l'amour de son parrain. Mme
de Coulanges a si bien gouverné la princesse d'Harcourt,
que c'est elle qui vous fait mille excuses de ne s'être pas
trouvée chez elle quand vous allâtes lui dire adieu: je vous 15
conseille de ne la point chicaner là-dessus. Ce que vous
dites des arbres qui changent est admirable; la persévé-
rance de ceux de Provence est triste et ennuyeuse: il vaut
mieux reverdir que d'être toujours vert. Corbinelli dit qu'il
n'y a que Dieu qui doive être immuable; toute autre immu- 20
tabilité est une imperfection; il étoit bien en train de
discourir aujourd'hui. Mme de la Troche et le prieur de
Livry étoient ici: il s'est bien diverti à leur prouver tous les
attributs de la divinité. Adieu, ma très-aimable, je vous
embrasse; mais quand pourrai-je vous embrasser de plus 25
près? La vie est si courte; ah! voilà sur quoi il ne faut
pas s'arrêter. C'est maintenant vos lettres que j'attends
avec impatience.

421.—DE MADAME DE SEVIGNE A MONSIEUR DE
GRIGNAN.

A PARIS, *mercredi 31e juillet* [*1675*].

C'est à vous que je m'adresse, mon cher Comte, pour vous 30
écrire une des plus fâcheuses pertes qui pût arriver en France·

c'est la mort de M. de Turenne.   Si c'est moi qui vous l'apprends, je suis assurée que vous serez aussi touché et aussi
désolé que nous le sommes ici.   Cette nouvelle arriva lundi
à Versailles: le Roi en a été affligé, comme on doit l'être de
5 la perte du plus grand capitaine et du plus honnête homme
du monde; toute la cour fut en larmes, et Monsieur de Condom pensa s'évanouir.   On étoit prêt d'aller se divertir à
Fontainebleau: tout a été rompu.   Jamais un homme n'a
été regretté si sincèrement; tout ce quartier où il a logé, et
10 tout Paris, et tout le peuple étoit dans le trouble et dans
l'émotion; chacun parloit et s'attroupoit pour regretter ce
héros.   Je vous envoie une très-bonne relation de ce qu'il a
fait les derniers jours de sa vie.   C'est après trois mois d'une
conduite toute miraculeuse, et que les gens du métier ne se
15 lassent point d'admirer, qu'arrive le dernier jour de sa gloire
et de sa vie.   Il avoit le plaisir de voir décamper l'armée
ennemie devant lui; et le 27ᵉ, qui étoit samedi, il alla sur
une petite hauteur pour observer leur marche: il avoit dessein de donner sur l'arrière-garde, et mandoit au Roi à midi
20 que dans cette pensée il avoit envoyé dire à Brissac qu'on
fît les prières de quarante heures.   Il mande la mort du
jeune d'Hocquincourt, et qu'il enverra un courrier apprendre au Roi la suite de cette entreprise: il cachette sa
lettre et l'envoie à deux heures.   Il va sur cette petite col-
25 line avec huit ou dix personnes: on tire de loin à l'aventure
un malheureux coup de canon, qui le coupe par le milieu du
corps, et vous pouvez penser les cris et les pleurs de cette
armée.   Le courrier part à l'instant; il arriva lundi, comme
je vous ai dit; de sorte qu'à une heure l'une de l'autre, le
30 Roi eut une lettre de M. de Turenne, et la nouvelle de sa
mort.   Il est arrivé depuis un gentilhomme de M. de
Turenne, qui dit que les armées sont assez près l'une de
l'autre; que M. de Lorges commande à la place de son
oncle, et que rien ne peut être comparable à la violente

affliction de toute cette armée.     Le Roi a ordonné en même
temps à Monsieur le Duc d'y courir en poste, en attendant
Monsieur le Prince, qui doit y aller; mais comme sa santé
est assez mauvaise, et que le chemin est long, tout est à
craindre dans cet entre-temps: c'est une cruelle chose que      5
d'imaginer cette fatigue à Monsieur le Prince; Dieu veuille
qu'il en revienne!     M. de Luxembourg demeure en Flandre
pour y commander en chef: les lieutenants généraux de
Monsieur le Prince sont MM. de Duras et de la Feuillade.
Le maréchal de Créquy demeure où il est.     Dès le lende-     10
main de cette nouvelle, M. de Louvois proposa au Roi de
réparer cette perte, et au lieu d'un général en faire huit
(c'est y gagner).     En même temps on fit huit maréchaux
de France, savoir: M. de Rochefort, à qui les autres doivent
un remerciement; MM. de Luxembourg, Duras, la Feuil-     15
lade, d'Estrades, Navailles, Schomberg et Vivonne; en voilà
huit bien comptés.     Je vous laisse méditer sur cet endroit.
Le grand maître étoit au désespoir, on l'a fait duc; mais
que lui donne cette dignité?     Il a les honneurs du Louvre
par sa charge; il ne passera point au parlement à cause des     20
conséquences, et sa femme ne veut de tabouret qu'à Bouillé.
Cependant c'est une grâce, et s'il étoit veuf, il pourroit
épouser quelque jeune veuve.

   Vous savez la haine du comte de Gramont pour Roche-
fort; je le vis hier, il est enragé; il lui a écrit, et l'a dit au     25
Roi.     Voici la lettre:

MONSEIGNEUR,

   La faveur l'a pu faire autant que le mérite.

*C'est pourquoi je ne vous en dirai pas davantage.*

                              Le comte DE GRAMONT.     30

*Adieu, Rochefort.*

Je crois que vous trouverez ce compliment comme on l'a
trouvé ici.

Il y a un almanach que j'ai vu, c'est de Milan; il y a au
mois de juillet: *Mort subite d'un grand;* et au mois d'août:
*Ah, que vois-je?* On est ici dans des craintes continuelles.

Cependant nos six mille hommes sont partis pour abîmer
5 notre Bretagne; ce sont deux Provençaux qui ont cette
commission : c'est Fourbin et Vins. M. de Pompone a
recommandé nos pauvres terres. M. de Cha........ de
Lavardin sont au désespoir: voilà ce qui........
dégoûts. Si jamais vous faites les fous, je ne.......pas
10 qu'on vous envoie des Bretons pour vous corri.......irez
combien mon cœur est éloigné de toute venge.......

Voilà, Monsieur le Comte, tout ce que nous.......
qu'à l'heure qu'il est. En récompense d'une très.......
lettre, je vous en écris une qui vous donnera du déplaisir;
15 j'en suis en vérité aussi fâchée que vous. Nous avons passé
tout l'hiver à entendre conter les divines perfections de ce
héros : jamais un homme n'a été si près d'être parfait; et
plus on le connoissoit, plus on l'aimoit, et plus on le
regrette.

20 Adieu, Monsieur, je vous embrasse mille fois. Je vous
plains de n'avoir personne à qui parler de cette grande nouvelle; il est naturel de communiquer tout ce qu'on pense là-
dessus. Si vous êtes fâché, vous êtes comme nous sommes
ici.

### 422. — DE MADAME DE SEVIGNE A MADAME DE GRIGNAN.

25                    A Paris, *vendredi 2e août* [*1675*].

Je pense toujours, ma fille, à l'étonnement et à la douleur
que vous aurez de la mort de M. de Turenne. Le cardinal
de Bouillon est inconsolable : il apprit cette nouvelle par un
gentilhomme de M. de Louvigny, qui voulut être le premier
30 à lui faire son compliment; il arrêta son carrosse, comme il
revenoit de Pontoise à Versailles : le cardinal ne comprit

rien à ce discours. Comme le gentilhomme s'aperçut de
son ignorance, il s'enfuit; le cardinal fit courre après, et sut
cette terrible mort; il s'évanouit; on le ramena à Pontoise,
où il a été deux jours sans manger, dans des pleurs et dans
des cris continuels. Mme de Guénégaud et Cavoie l'ont 5
été voir, qui ne sont pas moins affligés que lui. Je viens de
lui écrire un billet qui m'a paru bon: je lui dis par avance
votre affliction, et par son intérêt, et par l'admiration que
vous aviez pour le héros. N'oubliez pas de lui écrire: il me
paroît que vous écrivez très-bien sur toutes sortes de sujets: 10
pour celui-ci, il n'y a qu'à laisser aller sa plume. On paroît
fort touché dans Paris, et dans plusieurs maisons, de cette
grande mort. Nous attendons avec transissement le courrier d'Allemagne. Montecuculi, qui s'en alloit, sera bien
revenu sur ses pas, et prétendra bien profiter de cette con- 15
joncture. On dit que les soldats faisoient des cris qui s'en-
tendoient de deux lieues; nulle considération ne les pouvoit
retenir: ils crioient qu'on les menât au combat; qu'ils vou-
loient venger la mort de leur père, de leur général, de leur
protecteur, de leur défenseur; qu'avec lui ils ne craignoient 20
rien, mais qu'ils vengeroient bien sa mort; qu'on les laissât
faire, qu'ils étoient furieux, et qu'on les menât au combat.
Ceci est d'un gentilhomme qui étoit à M. de Turenne, et
qui est venu parler au Roi; il a toujours été baigné de
larmes en racontant ce que je vous dis, et la mort de son 25
maître, à tous ses amis. M. de Turenne reçut le coup au
travers du corps: vous pouvez penser s'il tomba et s'il mourut. Cependant le reste des esprits fit qu'il se traîna la longueur d'un pas, et que même il serra la main par convulsion;
et puis on jeta un manteau sur son corps. Le Bois-Guyot 30
(c'est ce gentilhomme) ne le quitta point qu'on ne l'eût porté
sans bruit dans la plus proche maison. M. de Lorges
étoit à une demi-lieue de là; jugez de son désespoir. C'est
lui qui perd tout, et qui demeure chargé de l'armée et de

tous les événements jusqu'à l'arrivée de Monsieur le Prince,
qui a vingt-deux jours de marche.    Pour moi, je pense mille
fois le jour au chevalier de Grignan, et ne puis pas m'imaginer
qu'il puisse soutenir cette perte sans perdre la raison.    Tous
5 ceux que M. de Turenne aimoit sont fort à plaindre.

Le Roi disoit hier en parlant des huit nouveaux maréchaux
de France : "Si Gadagne avoit eu patience, il seroit du
nombre ; mais il s'est retiré, il s'est impatienté : c'est bien
fait."    On dit que le comte d'Estrées cherche à vendre sa
10 charge ; il est du nombre des désespérés de n'avoir point le
bâton.    Devinez ce que fait Coulanges : sans s'incommoder,
il copie mot à mot toutes les nouvelles que je vous écris.
Je vous ai mandé comme le grand maître est duc : il n'ose
se plaindre ; il sera maréchal de France à la première voi-
15 ture ; et la manière dont le Roi lui a parlé passe de bien loin
l'honneur qu'il a reçu.    Sa Majesté lui dit de dire à Pompone son nom et ses qualités ; il lui répondit : "Sire, je lui
donnerai le brevet de mon grand-père ; il n'aura qu'à le faire
copier."    Il faut lui faire un compliment ; M. de Grignan en
20 a beaucoup à faire, et peut-être des ennemis ; car ils pré-
tendent du *monseigneur*, et c'est une injustice qu'on ne peut
leur faire comprendre.

M. de Turenne avoit dit à M. le cardinal de Retz en lui
disant adieu (et d'Hacqueville ne l'a dit que depuis deux
25 jours) : "Monsieur, je ne suis point un diseur ; mais je vous
prie de croire sérieusement que sans ces affaires-ci, où peut-
être on a besoin de moi, je me retirerois comme vous ; et je
vous donne ma parole que, si j'en reviens, je ne mourrai pas
sur le coffre, et je mettrai, à votre exemple, quelque temps
30 entre la vie et la mort."    Notre cardinal sera sensiblement
touché de cette perte.    Il me semble, ma fille, que vous ne
vous lassez point d'en entendre parler : nous sommes con-
venues qu'il y a des choses dont on ne peut trop savoir de
détails.

J'embrasse M. de Grignan : je vous souhaiterois quelqu'un à tous deux avec qui vous pussiez parler de M. de Turenne. Les Villars vous adorent ; Villars est revenu ; mais Saint-Géran et sa tête sont demeurés : sa femme espéroit qu'on auroit quelque pitié de lui, et qu'on le ramèneroit. Je crois 5 que la Garde vous mande le dessein qu'il a de vous aller voir : j'ai bien envie de lui dire adieu pour ce voyage ; le mien, comme vous savez, est un peu différé : il faut voir l'effet que fera dans notre pays la marche de six mille hommes et des deux Provençaux. Il est bien dur à M. de 10 Lavardin d'avoir acheté une charge quatre cent mille francs, pour obéir à M. de Forbin ; car encore M. de Chaulnes a l'ombre du commandement. Mme de Lavardin et M. d'Harouys sont mes boussoles. Ne soyez point en peine de moi, ma très-chère, ni de ma santé ; je me purgerai après le plein 15 de la lune, et quand on aura des nouvelles d'Allemagne.

Adieu, ma chère enfant, je vous embrasse tendrement, et je vous aime si passionnément, que je ne pense pas qu'on puisse aller plus loin. Si quelqu'un souhaitoit mon amitié, il devroit être content que je l'aimasse seulement autant que 20 j'aime votre portrait.

### 443. — DE MADAME DE SEVIGNE A MADAME DE GRIGNAN.

A Orléans, *mercredi 11e septembre* [*1675*].

Enfin, ma bonne, me voilà prête à m'embarquer sur notre Loire : vous souvient-il du joli voyage que nous y fîmes ? J'y penserai souvent : quoique votre Rhône soit *terribilis*, je 25 voudrois être aussi près de me confier à sa prud'homie. Il ne faut point que je prétende à vivre agréablement sans vous. Je vous écrirai de tous les lieux où je pourrai : j'attends demain de grand matin une lettre de vous, que j'ai dit qu'on m'adressât ici. Vous dites que l'espérance est si jolie ; 30 hélas ! il faut qu'elle le soit encore au-delà de ce que vous

dites, pour nourrir plus de la moitié du monde, comme elle
fait: je suis une des plus attachées à sa cour.

   J'emporte du chagrin de mon fils: on ne quitte qu'avec
peine les nouvelles de l'armée ; je lui mandois l'autre jour
5 qu'il me sembloit que j'allois mettre ma tête dans un sac, où
je ne verrois ni n'entendrois rien de tout ce qui se va passer
sur la terre. Il ne croit pas qu'il se fasse de détachement,
que vers la mi-octobre. S'il nous répond du détachement
nous le connoissons assez pour répondre de l'attachement:
10 ainsi vous n'avez pas à souhaiter pour lui. M. de la Trousse
reviendra bientôt sur sa parole ; il n'aura point le gouvernement de Philippeville: nous ne saurions deviner encore
ce que la fortune lui garde ; souvent c'est un coup de
mousquet: Dieu l'en préserve ! Je vis, le matin que je
15 partis, le grand-maître et la bonne Troche, qui me mena
à la messe, et attendre mon carrosse chez Mme de la
Fayette, où je trouvai le marquis de Saint-Maurice, qui
vient d'Angleterre dire la mort de son duc : c'est la cérémonie.

20   Je m'en vais d'Orléans jouer de mon reste, et me mêler
de vous dire encore des nouvelles : vous devinerez les au-
teurs. Il est certain que l'ami et *Quanto* se sont véritablement séparés ; mais la douleur de la demoiselle est fré-
quente, et même jusqu'aux larmes, de voir à quel point
25 l'ami s'en passe bien : il ne pleuroit que sa liberté, et ce
lieu de sûreté contre la dame du château; le reste, par
quelque raison que ce puisse être, ne lui tenoit plus au
cœur: il a retrouvé cette société qui lui plaît ; il est gai et
content de n'être plus dans le trouble, et l'on tremble que
30 cela ne veuille dire une diminution, et l'on pleure ; et si le
contraire étoit, on pleureroit et on trembleroit encore: ainsi
le repos est chassé de cette place. Voilà sur quoi vous
pouvez faire vos réflexions, comme sur une vérité : je crois
que vous m'entendez.

Je me porte très-bien, ma bonne : je me trouve fort bien
d'être une substance qui pense et qui lit ; sans cela notre
bon abbé m'amuseroit peu : vous savez qu'il est occupé *des
beaux yeux de sa cassette;* mais pendant qu'il la regarde
et la visite de tous côtés, le cardinal Commendon me tient  5
une très-bonne compagnie.  Le temps et le chemin sont
admirables : ce sont de ces jours de cristal où l'on n'a ni
froid ni chaud ; notre équipage nous mèneroit fort bien par
terre : c'est pour nous divertir que nous allons sur l'eau.
Ne soyez point en peine de Marie, elle me fait tout comme 10
Hélène.  Je préviens votre inquiétude : ma santé est parfaite ; je la gouverne dans la vue de vous plaire.  Je vous
aime, ma très-chère bonne : cette tendresse fait ma plus
douce et plus charmante occupation.  Je vous embrasse
mille fois de tout mon cœur.                                15

Je ne me vante pas d'être amie de Monsieur le Premier ;
mais je l'ai vu assez souvent chez M. de la Rochefoucauld,
chez Mme de Lavardin, chez lui, et deux fois chez moi : il
me trouve avec ses amis, et vous savez les sortes de réverbé-
rations que cela fait.
                                                            20

### 530. — DE MADAME DE SEVIGNE A MADAME DE GRIGNAN.

A Paris, *vendredi 1er mai* [*1676*].

Je commence, ma fille, par remercier mille fois M. de
Grignan de la jolie robe de chambre qu'il m'a donnée : je
n'en ai jamais vu une plus agréable.  Je m'en vais la faire
ajuster pour me parer cet hiver, et tenir mon coin dans 25
votre chambre.  Je pense souvent, aussi bien que vous, à
nos soirées de l'année passée ; nous en pourrons refaire
encore, mais la meilleure pièce de notre sac y manquera.
Ce monsieur qui m'a apporté cette robe de chambre a pensé
tomber d'étonnement de la beauté et de la ressemblance de 30
votre portrait.  Il est certain qu'il est encore embelli ; sa

toile s'est imbibée, il est dans sa perfection : si vous en
doutez, ma chère enfant, venez-y voir.  Il court ici un bruit,
dont tout le monde m'envoie demander des nouvelles.  On
dit que M. de Grignan a ordre d'aller pousser par les
5 épaules le vice-légat hors d'Avignon : je ne le croirai point
que vous ne me le mandiez.  Les Grignans auroient l'honneur d'être les premiers excommuniés, si cette guerre commençoit ; car l'abbé de Grignan, de ce côté-ci, a ordre de
Sa Majesté de défendre aux prélats d'aller voir Monsieur le
10 Nonce.  Ce petit monsieur dit que vous êtes très-belle ; il
croit que M. de Grignan demeurera plus longtemps à Aix
que vous ne pensez ; pour moi, je ne me presse point de
partir, car je sais que le mois de juin est meilleur que celui
de mai pour boire des eaux : je partirai le dix ou le onze de
15 ce mois.  Mme de Montespan est partie pour Bourbon.
Mme de Thianges est allée jusqu'à Nevers avec elle, où M.
et Mme de Nevers la doivent recevoir.  Mon fils me mande
qu'ils vont assiéger Bouchain avec une partie de l'armée,
pendant que le Roi, avec un plus grand nombre, se tiendra
20 prêt à recevoir et à battre M. le prince d'Orange.  Il y a
cinq ou six jours que le chevalier d'Humières est hors de
la Bastille ; son frère a obtenu cette grâce.  On ne parle ici
que des discours, et des faits et gestes de la Brinvilliers.
A-t-on jamais vu craindre d'oublier dans sa confession
25 d'avoir tué son père ?  Les peccadilles qu'elle craint d'oublier sont admirables.  Elle aimoit ce Sainte-Croix, elle
vouloit l'épouser, et empoisonnoit fort souvent son mari à
cette intention.  Sainte-Croix, qui ne vouloit point d'une
femme aussi méchante que lui, donnoit du contre-poison à
30 ce pauvre mari ; de sorte qu'ayant été ballotté cinq ou six
fois de cette sorte, tantôt empoisonné, tantôt désempoisonné,
il est demeuré en vie, et s'offre présentement de venir solli-
citer pour sa chère moitié : on ne finiroit point toutes ces
folies.  J'allai hier à Vincennes avec les Villars.  Son

Excellence part demain pour la Savoie, et m'a priée de vous
baiser la main gauche de sa part. Ces dames vous aiment
fort; nommez-les en m'écrivant, pour les payer de leur tendresse. Adieu, ma très-chère et très-aimable, je ne vous en
dirai pas davantage pour aujourd'hui.

5

## 532.—DE MADAME DE SEVIGNE A MADAME DE GRIGNAN.

A PARIS, *mercredi 6e mai [1676]*.

J'ai le cœur serré de ma petite-fille : elle sera au désespoir
de vous avoir quittée, et d'être, comme vous dites, en prison.
J'admire comme j'eus le courage de vous y mettre ; la
pensée de vous voir souvent et de vous en retirer me fit 10
résoudre à cette barbarie, qui étoit trouvée alors une bonne
conduite, et une chose nécessaire à votre éducation. Enfin
il faut suivre les règles de la Providence, qui nous destine
comme il lui plaît.

Mme du Gué la religieuse s'en va à Chelles; elle y porte 15
une grosse pension pour avoir toutes sortes de commodités:
elle changera souvent de condition, à moins qu'un jeune
garçon, qui est leur médecin, et que je vis hier à Livry, ne
l'oblige à s'y tenir. Ma chère, c'est un homme de vingt-huit
ans, dont le visage est le plus beau et le plus charmant que 20
j'aie jamais vu : il a les yeux comme Mme de Mazarin et
les dents parfaites; le reste du visage comme on imagine
*Rinaldo;* de grandes boucles noires qui lui font la plus
agréable tête que vous ayez jamais vue. Il est Italien, et
parle italien, comme vous pouvez penser ; il a été à Rome 25
jusqu'à vingt-deux ans : enfin, après quelques voyages, M.
de Nevers et M. de Brissac l'ont amené en France, et M.
de Brissac l'a mis pour le reposer dans le beau milieu de
l'abbaye de Chelles, dont Mme de Brissac, sa sœur, est
abbesse. Il a un jardin de simples dans le couvent; mais il 30

ne me paroît rien moins que *Lamporechio*. Je crois que plusieurs bonnes sœurs le trouvent à leur gré, et lui disent leurs
maux; mais je jurerois qu'il n'en guérira pas une que selon
les règles d'Hippocrate. Mme de Coulanges en vient, qui
5 le trouve comme je l'ai trouvé: en un mot, tous ces jolis
musiciens de chez Toulongeon ne sont que des grimauds
auprès de lui. Vous ne sauriez croire combien cette petite
aventure nous a réjouies.

Je veux vous parler du petit marquis. Je vous prie que
10 sa timidité ne vous donne aucun chagrin. Songez que le
charmant marquis a tremblé jusqu'à dix ou douze ans, et
que la Troche avait si grand'peur de toutes choses, que sa
mère ne vouloit plus le voir: ce sont deux assez braves gens
pour vous rassurer. Ce sont des enfances; et en croissant,
15 au lieu de craindre les loups-garoux, ils craignent le blâme,
ils craignent de n'être pas estimés autant que les autres; et
c'est assez pour les rendre braves et pour les faire tuer mille
fois: ne vous impatientez donc point. Pour sa taille, c'est
une autre affaire; on vous conseille de lui donner des
20 chausses pour voir plus clair à ses jambes; il faut savoir si
ce côté plus petit ne prend point de nourriture; il faut qu'il
agisse et qu'il se dénoue; il faut lui mettre un petit corps
un peu dur qui lui tienne la taille: on me doit envoyer des
instructions que je vous enverrai. Ce seroit une belle chose
25 qu'il y eût un Grignan qui n'eût pas la taille belle: vous
souvient-il comme il étoit joli dans ce maillot? Je ne suis
pas moins en peine que vous de ce changement.

J'avois rêvé en vous disant que Mme de Thianges étoit
allée conduire sa sœur: il n'y a eu que la maréchale de
30 Rochefort et la marquise de la Vallière qui ont été jusqu'à
Essonne. Elle est toute seule, et même elle ne trouvera
personne à Nevers. Si elle avoit voulu mener tout ce qu'il
y a de dames à la cour, elle auroit pu choisir. Mais parlons
de l'*amie;* elle est encore plus triomphante que celle-ci: tout

*mme. Maintenon*

est comme soumis à son empire; toutes les femmes de
chambre de sa voisine sont à elle; l'une lui tient le pot à
pâte à genoux devant elle, l'autre lui apporte ses gants,
l'autre l'endort; elle ne salue personne, et je crois que dans
son cœur elle rit bien de cette servitude. On ne peut rien 5
juger présentement de ce qui se passe entre son amie et
elle.

On est ici fort occupé de la Brinvilliers. Caumartin a dit
une grande folie sur ce bâton dont elle avoit voulu se tuer
sans le pouvoir: "C'est, dit-il, comme Mithridate." Vous 10
savez de quelle sorte il s'étoit accoutumé au poison; il n'est
pas besoin de vous conduire plus loin dans cette application.
Celle que vous faites de ma main à qui je dis:

> Allons, allons, la plainte est vaine,

m'a fait rire; car il est vrai que le dialogue est complet; elle 15
me dit:

> Ah! quelle rigueur inhumaine! —
> Allons, achevez mes écrits;
> Je me venge de tous mes cris. —
> Quoi! vous serez inexorable? 20

Et je coupe court, en lui disant:

> Cruelle, vous m'avez appris à devenir impitoyable.

Ma fille, que vous êtes plaisante, et que vous me réjoui-
riez bien si je pouvois aller cet été à Grignan! Mais il n'y
faut pas penser, le *bien Méchant* est accablé d'affaires: je 25
garde ce plaisir pour une autre année, et pour celle-ci j'es-
pérerai que vous me viendrez voir.

J'ai été hier à l'opéra avec Mme de Coulanges et Mme
d'Heudicourt, M. de Coulanges, l'abbé de Grignan et Corbinelli: il y a des choses admirables; les décorations passent 30
tout ce que vous avez vu; les habits sont magnifiques et
galants; il y a des endroits d'une extrême beauté; il y a
un sommeil et des songes dont l'invention surprend; la

symphonie est toute de basses et de tons si assoupissants,
qu'on admire Baptiste sur nouveaux frais; mais l'*Atys* est
ce petit drôle qui faisoit la *Furie* et la *Nourrice;* de sorte
que nous voyons toujours ces ridicules personnages au
5 travers d'*Atys*. Il y a cinq ou six petits hommes tout nouveaux, qui dansent comme Faure, de sorte que cela seul m'y
feroit aller; et cependant on aime encore mieux *Alceste:*
vous en jugerez, car vous y viendrez pour l'amour de moi,
quoique vous ne soyez pas curieuse. Il est vrai que c'est
10 une belle chose de n'avoir point vu Trianon: après cela
vous peut-on proposer le pont du Gard?

Vous trouveriez l'homme dont vous me parlez, de la
même manière que vous l'avez toujours vu chez la belle;
mais il me paroît que *le combat finit faute de combattants.*
15 Les reproches étoient fondés sur la gloire plutôt que
sur la jalousie: cependant cela enté sur une séche-
resse déjà assez établie, confirme l'indolence inséparable
des longs attachements. Je trouve même quelquefois des
réponses brusques et dures, et je crois voir que l'on sent
20 la différence des génies; mais tout cela n'empêche point
une grande liaison, et même beaucoup d'amitié qui durera
vingt ans comme elle est. La dame est, en vérité, fort jolie;
elle a des soins de moi que j'admire, et dont je ne suis point
ingrate. La dame du *Poitron-Jaquet* l'est encore moins, à ce
25 que vous me faites comprendre: il est vrai que les femmes
valent leur pesant d'or. La Comtesse maintenoit l'autre
jour à Mme Cornuel que Combourg n'étoit point fou; elle
lui répondit: "Bonne comtesse, vous êtes comme les gens qui
ont mangé de l'ail." Cela n'est-il pas plaisant? M. de Pom-
30 pone m'a mandé qu'il me prioit d'écrire tous les bons mots
de Mme Cornuel; il me fait faire mille amitiés par mon fils.

Nous partons lundi; je ne veux point passer par Fontainebleau, à cause de la douleur que j'y sentis en vous
reconduisant jusque-là. Il faut que j'y retourne au-devant

de vous. Adressez vos lettres pour moi et pour mon fils à du But ; je crois que je les recevrai encore mieux par là que par des traverses. Je crois que notre commerce sera un peu interrompu ; j'en suis fâchée : vos lettres me sont d'un grand amusement ; vous écrivez comme Faure danse. Il y a des applications sur des airs de l'opéra, mais vous ne les savez point. Que je vous plains, ma très-belle, d'avoir pris une vilaine médecine plus noire que jamais ! Ma petite poudre d'antimoine est la plus jolie chose du monde : c'est le bon pain, comme dit le vieux de la Montagne. Je lui désobéis un peu, car il m'envoie à Bourbon ; mais l'expérience de mille gens, et le bon air, et point tant de monde, tout cela m'envoie à Vichy. La bonne d'Escars vient avec moi, j'en suis fort aise. Mes mains ne se ferment point ; j'ai mal aux genoux, aux épaules, et je me sens encore si pleine de sérosités, que je crois qu'il faut sécher ces marécages, et que dans le temps où je suis il faut extrêmement se purger, et c'est ce qu'on ne peut faire qu'en prenant des eaux chaudes. Je prendrai aussi une légère douche à tous les endroits encore affligés du rhumatisme : après cela il me semble que je me porterai fort bien.

Le voyage d'Aigues-Mortes est fort joli ; vous êtes une vraie paresseuse de n'avoir pas voulu être de cette partie. J'ai bonne opinion de vos conversations avec l'abbé de la Vergne, puisque vous n'y mêlez point Monsieur de Marseille. La dévotion de Mme de Brissac étoit une fort belle pièce ; je vous manderai de ses nouvelles de Vichy ; c'est le *chanoine* qui gouverne présentement sa conscience ; je crois qu'il m'en parlera à cœur ouvert. Je suis fort aise de la parure qu'on a donnée à notre Diane d'Arles : tout ce qui fâche Corbinelli, c'est qu'il craint qu'elle n'en soit pas plus gaie. J'ai été saignée ce matin, comme je vous l'ai déjà dit au bas de la consultation : en vérité, c'est une grande affaire, Maurel en étoit tout épouvanté : me voilà présentement pré-

parée à partir.    Adieu, ma chère enfant ; je ne m'en dédis
point, vous êtes digne de toute l'extrême tendresse que j'ai
pour vous.

### 554. — DE MADAME DE SEVIGNE A MADAME DE GRIGNAN.

A Paris, *vendredi 3ᵉ juillet [1676]*.

5    Vous me dites que c'est à moi à régler votre marche ; je
vous l'ai réglée, et je crois qu'il y a de la raison dans ce que
j'ai fait.    M. de Grignan même ne doit pas s'y opposer,
puisque la séparation sera courte, et que c'est bien épargner
de la peine, et me donner un temps d'avance, qui sera, ce
10 me semble, purement pour moi.    J'ai fait part de ma pensée
à d'Hacqueville, qui l'a fort approuvée, et qui vous en écrira.
Songez-y, ma fille, et faites de l'amitié que vous avez pour
moi le chef de votre conseil.

On dit que la princesse d'Italie n'est plus si bien auprès
15 de sa maîtresse.    Vous savez comme celle-ci est sur la
galanterie : elle s'est imaginé, voyez quelle injustice ! que
cette favorite n'avoit pas la même aversion qu'elle pour
cette bonté de cœur.    Cela fait des dérangements étranges :
je m'instruirai mieux sur ce chapitre ; je ne sais qu'en l'air
20 ce que je vous dis.

Il me semble que j'ai passé trop légèrement sur Villebrune ; il est très-estimé dans notre province ; il prêche
bien, il est savant ; il étoit aimé du prince de Tarente, et
avoit servi à sa conversion et à celle de son fils.    Le prince
25 lui avoit donné à Laval un bénéfice de quatre mille livres
de rentes ; quelqu'un parla d'un dévolu, à cause de ce que
vous savez ; l'abbé du Plessis le prévint à Rome, et l'obtint,
et contre le sentiment de toute sa famille il le fit signifier,
croyant, disoit-il, faire un partage de frère avec Villebrune.
30 Cependant il n'en a point profité, car M. de la Trémouille a

prétendu que le bénéfice dépendant de lui, il falloit avoir
son consentement : de sorte qu'il n'est rien arrivé, sinon que
Villebrune n'a plus rien, que l'abbé du Plessis n'a pas eu un
bon procédé, et que M. de la Trémouille n'a pas osé redon-
ner le bénéfice à Villebrune, qui a toujours été en Basse-   5
Bretagne depuis ce temps, fort estimé et vivant bien.   Si le
hasard vous l'avoit mis dans votre chapitre, je vous touve-
rois assez heureuse de pouvoir parler avec lui de toutes
choses, et d'avoir un très-bon médecin; car c'est cette
science qui l'a fait aller à Montpellier pour apprendre des   10
secrets qu'il ne croit réservés qu'au soleil de Languedoc.
Voilà ce que la vérité m'a obligée de vous dire.   Je veux en
écrire à Vardes, car ce pauvre homme me fait pitié.   Voyez
un peu comme je me suis embarquée dans cette longue
narration.   15

L'affaire de la Brinvilliers va toujours son train.   Elle
empoisonnoit de certaines tourtes de pigeonneaux, dont
plusieurs mouroient qu'elle n'avoit point dessein de tuer.
Le chevalier du Guet avoit été de ces jolis repas, et s'en
meurt depuis deux ou trois ans.   Elle demandoit l'autre   20
jour s'il étoit mort; on lui dit que non; elle dit en se tour-
nant: "Il a la vie bien dure."   M. de la Rochefoucauld
jure que cela est vrai.

Il vient de sortir d'ici une bonne compagnie, car vous
savez que je garde mon logis huit jours après mon retour   25
de Vichy, comme si j'étois bien malade.   Cette compagnie
étoit la maréchale d'Estrées, le *chanoine*, Bussy, Rouville,
Corbinelli et moi.   Tout a prospéré; vous n'avez jamais
rien vu de si vif.   Comme nous étions le plus en train, nous
avons vu apparoître Monsieur le Premier avec son grand   30
deuil : nous sommes tous tombés morts.   Pour moi, c'étoit
de honte que j'étois morte; car vous saurez que je n'ai rien
dit à ce Caton sur la mort de sa femme, et j'avois dessein
de l'aller voir avec la marquise d'Uxelles ; et au lieu d'at-

tendre ce devoir, il vient savoir comme je me porte de mon
voyage.   Je vous conjure de ne rien faire qui puisse empêcher le vôtre.   La maréchale de Castelnau et sa fille ont
des soins extrêmes de moi.   Je ne sais rien de Philisbourg
5 depuis ce que je vous en ai mandé.   Mon fils n'est point
encore passé ; il ne va point en Allemagne, c'est dans
l'armée du maréchal de Créquy : cette seconde campagne
me déplaît.   Je suis toute à vous, ma très-chère, et cette
amitié fait ma vie.

### 558. — DE MADAME DE SEVIGNE A MADAME DE GRIGNAN.

10                          A Paris, *vendredi 17e juillet* [*1676*].

Enfin c'en est fait, la Brinvilliers est en l'air : son pauvre
petit corps a été jeté, après l'exécution, dans un fort grand
feu, et les cendres au vent ; de sorte que nous la respirerons,
et par la communication des petits esprits, il nous prendra
15 quelque humeur empoisonnante, dont nous serons tout
étonnés.   Elle fut jugée dès hier ; ce matin on lui a lu son
arrêt, qui étoit de faire amende honorable à Notre-Dame, et
d'avoir la tête coupée, son corps brûlé, les cendres au vent.
On l'a présentée à la question : elle a dit qu'il n'en étoit pas
20 besoin, et qu'elle diroit tout ; en effet, jusqu'à cinq heures
du soir elle a conté sa vie, encore plus épouvantable qu'on
ne le pensoit.   Elle a empoisonné dix fois de suite son père
(elle ne pouvoit en venir à bout), ses frères et plusieurs
autres ; et toujours l'amour et les confidences mêlés partout.
25 Elle n'a rien dit contre Penautier.   Après cette confession,
on n'a pas laissé de lui donner dès le matin la question
ordinaire et extraordinaire : elle n'en a pas dit davantage.
Elle a demandé à parler à Monsieur le procureur général ;
elle a été une heure avec lui : on ne sait point encore le sujet
30 de cette conversation.   A six heures on l'a menée nue en

chemise et la corde au cou, à Notre-Dame, faire l'amende
honorable; et puis on l'a remise dans le même tombereau,
où je l'ai vue, jetée à reculons sur de la paille, avec une cornette basse et sa chemise, un docteur auprès d'elle, le bourreau de l'autre côté: en vérité cela m'a fait frémir.   Ceux 5
qui ont vu l'exécution disent qu'elle a monté sur l'échafaud
avec bien du courage.   Pour moi, j'étois sur le pont Notre-
Dame, avec la bonne d'Escars; jamais il ne s'est vu tant de
monde, ni Paris si ému ni si attentif; et demandez-moi ce
qu'on a vu, car pour moi je n'ai vu qu'une cornette; mais 10
enfin ce jour étoit consacré à cette tragédie.   J'en saurai
demain davantage, et cela vous reviendra.

On dit que le siège de Maestricht est commencé, celui de
Philisbourg continue: cela est triste pour les spectateurs.
Notre petite amie m'a bien fait rire ce matin : elle dit que 15
Mme de Rochefort, dans le plus fort de sa douleur, a conservé une tendresse extrême pour Mme de Montespan, et
m'a contrefait les sanglots au travers desquels elle lui disoit
qu'elle l'avoit aimée toute sa vie d'une inclination toute par-
ticulière.   Êtes-vous assez méchante pour trouver cela aussi 20
plaisant que moi ?

On dit que Louvigny a trouvé sa chère épouse écrivant
une lettre qui ne lui a pas plu; le bruit a été grand.
D'Hacqueville est occupé à tout raccommoder: vous croyez
bien que ce n'est pas de lui que je sais cette petite affaire; 25
mais elle n'en est pas moins vraie, ma chère bonne.

### 559.—DE MADAME DE SEVIGNE A MADAME DE
### GRIGNAN.

A PARIS, *mercredi 22ᵉ juillet* [*1676*].

Oui ma bonne, voilà justement ce que je veux; je suis
contente et consolée du temps que je perds à vous voir, par
la rencontre heureuse des sentiments de M. de Grignan et 30

des miens.   Il sera fort aise de vous avoir cet été à Grignan :
j'ai considéré son intérêt aux dépens de la chose du monde
qui m'est la plus chère, qui est de vous voir ; et il songe à
son tour à me plaire, en vous empêchant de remonter en
5 Provence, et vous faisant prendre un mois ou six semaines
d'avance, qui me font un plaisir sensible, et qui vous ôtent
toute la fatigue de l'hiver et des méchants chemins.   Rien
n'est plus juste que cette disposition ; elle me fait sentir
toutes les douceurs de cette espérance, que nous aimons et
10 que nous estimons tant.   Voilà qui est donc réglé ; nous en
parlerons encore plus d'une fois, et plus d'une fois je vous
remercierai de cette complaisance.   Mon carrosse ne vous
manquera point à Briare, pourvu qu'il puisse revenir de
l'eau dans la rivière : on passe tous les jours à gué notre
15 rivière de Seine, et l'on se moque de tous les ponts de l'Ile.
  Je viens d'écrire au chevalier, qui s'inquiétoit de ma
santé.   Je lui mande que je me porte très-bien, hormis que
je ne puis serrer la main ni danser la bourrée (voilà deux
choses dont la privation m'est bien rude), mais que vous
20 achèverez de me guérir.   Il est vrai que j'ai encore un peu
de mal aux genoux ; mais cela ne m'empêche point de marcher : au contraire, je souffre quand je suis trop longtemps
assise.   Vous ai-je mandé que je fus l'autre jour dîner à
Sucy, chez la présidente Amelot, avec les d'Hacqueville,
25 Corbinelli, Coulanges, le bon abbé ?   Je fus ravie de revoir
cette maison, où j'ai passé ma belle jeunesse : je n'avois
point de rhumatisme en ce temps-là.   Mes mains ne se
ferment point tout à fait ; mais je m'en sers à toutes choses,
comme si de rien n'étoit.   J'aime l'état où je suis ; et toute
30 ma crainte, c'est de rengraisser, et que vous ne me voyiez
point le dos plat avec ma jolie taille.   En un mot, ma bonne,
quittez vos inquiétudes, et ne songez qu'à me venir voir.
Voilà notre Corbinelli qui va vous rendre compte de lui.
Villebrune dit qu'il m'a guérie ; hélas ! je suis bien aise que

cela lui soit bon : il n'est pas en état de négliger ce qui lui
attire des Vardes et des Monceaux *in ogni modo*. Vardes
mande à Corbinelli que, dans cette pensée, il le révère
comme le dieu de la médecine. Il pourra fort bien les
divertir, et sur ce chapitre, et sur bien d'autres : c'est un 5
oiseau effarouché qui ne sait où se reposer.

Encore un petit mot de la Brinvilliers : elle est morte
comme elle a vécu, c'est-à-dire résolument. Elle entra dans
le lieu où l'on devoit lui donner la question ; et voyant trois
seaux d'eau : "C'est assurément pour me noyer, dit-elle ; 10
car de la taille dont je suis, on ne prétend pas que je boive
tout cela." Elle écouta son arrêt, dès le matin, sans frayeur
ni sans foiblesse ; et sur la fin, elle le fit recommencer, disant
que ce tombereau l'avoit frappée d'abord, et qu'elle en avoit
perdu l'attention pour le reste. Elle dit à son confesseur, 15
par le chemin, de faire mettre le bourreau devant elle, "afin
de ne point voir, dit-elle, ce coquin de Desgrais qui m'a
prise" : il étoit à cheval devant le tombereau. Son confesseur la reprit de ce sentiment ; elle dit : "Ah mon Dieu !
je vous en demande pardon ; qu'on me laisse donc cette 20
étrange vue" ; et monta seule et nu-pieds sur l'échelle et
sur l'échafaud, et fut un quart d'heure mirodée, rasée,
dressée et redressée, par le bourreau : ce fut un grand mur-
mure et une grande cruauté. Le lendemain on cherchoit
ses os, parce que le peuple disoit qu'elle étoit sainte. Elle 25
avoit, dit-elle, deux confesseurs : l'un disoit qu'il falloit tout
dire, et l'autre non ; elle rioit de cette diversité, disant : "Je
peux faire en conscience tout ce qu'il me plaira" : il lui a
plu de ne rien dire du tout. Penautier sortira un peu plus
blanc que de la neige : le public n'est point content, on dit 30
que tout cela est trouble. Admirez le malheur : cette créature a refusé d'apprendre ce qu'on vouloit, et a dit ce qu'on
ne demandoit pas ; par exemple, elle dit que M. Foucquet
avoit envoyé Glaser, leur apothicaire empoisonneur, en

Italie, pour avoir d'une herbe qui fait du poison : elle a
entendu dire cette belle chose à Sainte-Croix.  Voyez quel
excès d'accablement, et quel prétexte pour achever ce misérable.  Tout cela est encore bien suspect.  On ajoute encore bien des choses ; mais en voilà assez pour aujourd'hui.

On tient que M. de Luxembourg a dessein de tenter une
grande action pour secourir Philisbourg ; c'est une affaire
périlleuse.  Le siège de Maestricht continue ; mais le maréchal d'Humières va prendre Aire, pour jouer aux échecs,
comme je disois l'autre jour ; il a pris toutes les troupes
qu'on destinoit au maréchal de Créquy ; et les officiers qui
étoient destinés à cette armée sont retournés en Allemagne,
comme la Trousse, le chevalier du Plessis et d'autres.  Nos
garçons sont demeurés avec M. de Schomberg : je les aime
bien mieux là qu'avec le maréchal d'Humières.  M. de
Schomberg favorisera notre siège et les fortifications de
Condé, comme Villa-Hermosa Maestricht et le prince
d'Orange.  Tout ceci s'échauffe beaucoup : cependant on
se réjouit à Versailles ; tous les jours des plaisirs, des comédies, des musiques, des soupers sur l'eau.  On joue tous les
jours dans l'appartement du Roi, la Reine et toutes les
dames et tous les courtisans ; c'est au reversi.  Le Roi et
Mme de Montespan tiennent un jeu ; la Reine et Mme de
Soubise, qui joue quand Sa Majesté prie Dieu ; elle est de
deux pistoles sur cent ; Monsieur et Mme de Créquy, Dangeau et ses croupiers, Langlée et les siens : voilà où l'on
voit perdre ou gagner tous les jours deux ou trois mille
louis.  L'amie de Mme de Montespan est mieux qu'elle
n'a jamais été ; c'est une faveur dont elle n'avoit jamais
approché ; ainsi va le monde.  Notre petite amie n'en est
pas plus empressée.

Mme de Nevers est belle comme le jour, et brille fort,
sans qu'on en soit en peine.  Mlle de Thianges est grande ;
elle a tout ce qui compose une grande fille.  L'hôtel de

Grancey est tout comme il étoit, rien ne change. Le chevalier de Lorraine est très-malotru et très-languissant ; il
auroit assez l'air d'être empoisonné, si Mme de Brinvilliers
eût été son héritière. Monsieur le Duc fait son quartier
d'été en ce quartier ; mais Mme de Rohan s'en va à Lorges : 5
cela est un peu embarrassant. Ne voudriez-vous point un
peu savoir des nouvelles de Danemark? en voilà que je
reçois par la bonne princesse. Je crois que cette grâce du
Roi vous fera plaisir à voir : c'est ainsi que l'on diminue les
peines, au lieu de les augmenter. 10

Je reçois aussi, ma très-chère, votre lettre du 15ᵉ. Ce qui
est dit est dit sur votre voyage ; vous m'en parlez toujours avec
tant d'amitié et de tendresse, que j'en suis touchée dans le
milieu du cœur, et suis étonnée d'avoir pu trouver en moi
assez de raison et de considération pour vos Grignans, pour 15
vous laisser encore à eux jusqu'au mois d'octobre. Je regarde
avec tristesse la perte d'un temps où je ne vous vois point,
et où je pourrois vous voir : j'ai là-dessus des repentirs et
des folies, dont le grand d'Hacqueville se moque. Il voit
bien que vous faites votre devoir auprès de M. l'archevêque 20
d'Arles : n'êtes-vous pas bien aise d'être capable de faire
tout ce que veut la raison? Je vois que vous en savez présentement plus que moi. Je disois hier de Penautier ce que
vous en dites, sur le peu de presse que je prévois qu'il y
aura à sa table. 25

Je ne sais point comme la M*** en a usé avec son mari,
mais je n'ai point ouï dire qu'elle ait changé son filou contre
un autre. Le bon d'Hacqueville nous diroit de bonnes
affaires s'il vouloit.

Pour les eaux de Vichy, ma chère fille, je m'en loue : elles 30
m'ont redonné de la force, en me purgeant et en me faisant
suer. Mon corps est bien ; ce qui me reste n'est pas considérable ; je ferai, quand vous serez ici, tous les remèdes
que vous voudrez : pour cet été, je n'en ai aucun besoin, il

faut que je songe à Livry, car je me trouve étouffée ici, j'ai
besoin d'air et de marcher: vous me reconnoissez bien à ce
discours.    A ce que je vois, vous allez parler avec une
grande sincérité sur le mariage que vous savez; écrivez-moi
5 vos sentiments afin de ne pas oublier l'autre style.    Ce que
vous dites de la raison qui vous fait être bien aise que Monsieur de Marseille soit cardinal, est justement la mienne: il
n'aura plus la joie ni l'espérance de l'être.

On mande des merveilles d'Allemagne.    Ces Allemands
10 se laissent noyer par un petit ruisseau, qu'ils n'ont pas l'esprit de détourner.    On croit que M. de Luxembourg les
battra, et qu'ils ne prendront point Philisbourg: ce n'est
pas notre faute s'ils se rendent indignes d'être nos ennemis.    Ma très-chère et très-aimable, je suis entièrement à
15 vous: n'en doutez jamais.

Mon fils est dans l'armée de M. de Schomberg: c'est
présentement la plus sûre.    Que me dites-vous des Grignans qui viennent d'arriver?    J'en embrasse tout autant
qu'il y en aura, et salue très-respectueusement Monsieur
20 l'archevêque.


563. — DE MADAME DE SEVIGNE A MADAME DE
GRIGNAN.

A Paris, *mercredi 29e juillet* [*1676*].

Voici, ma bonne, un changement de scène qui vous
paroîtra aussi agréable qu'à tout le monde.    Je fus samedi
à Versailles avec les Villars: voici comme cela va.    Vous
25 connoissez la toilette de la Reine, la messe, le dîner; mais il
n'est plus besoin de se faire étouffer, pendant que Leurs
Majestés sont à table; car, à trois heures, le Roi, la Reine,
Monsieur, Madame, Mademoiselle, tout ce qu'il y a de
princes et de princesses, Mme de Montespan, toute sa suite,
30 tous les courtisans, toutes les dames, enfin ce qui s'appelle

la cour de France, se trouve dans ce bel appartement du Roi que vous connoissez. Tout est meublé divinement, tout est magnifique. On ne sait ce que c'est que d'y avoir chaud; on passe d'un lieu à l'autre sans faire la presse en nul lieu. Un jeu de reversi donne la forme, et fixe tout. C'est le Roi 5 (Mme de Montespan tient la carte), Monsieur, la Reine et Mme de Soubise; Dangeau et compagnie; Langlée et compagnie. Mille louis sont répandus sur le tapis, il n'y a point d'autres jetons. Je voyois jouer Dangeau; et j'admirois combien nous sommes sots auprès de lui. Il ne songe 10 qu'à son affaire, et gagne où les autres perdent; il ne néglige rien, il profite de tout, il n'est point distrait: en un mot, sa bonne conduite défie la fortune; aussi les deux cent mille francs en dix jours, les cent mille écus en un mois, tout cela se met sur le livre de sa recette. Il dit que je prenois part 15 à son jeu, de sorte que je fus assise très-agréablement et très-commodément. Je saluai le Roi, comme vous me l'avez appris; il me rendit mon salut, comme si j'avois été jeune et belle. La Reine me parla longtemps de ma maladie. Elle me parla aussi de vous. Monsieur 20 le Duc me fit mille de ces caresses à quoi il ne pense pas. Le maréchal de Lorges m'attaqua sous le nom du chevalier de Grignan, enfin *tutti quanti:* vous savez ce que c'est que de recevoir un mot de tout ce qu'on trouve en chemin. Mme de Montespan me parla de Bourbon, et me 25 pria de lui conter Vichy, et comme je m'en étois trouvée; elle dit que Bourbon, au lieu de lui guérir un genou, lui a fait mal aux deux. Je lui trouvai le dos bien plat, comme disoit la maréchale de la Meilleraye; mais sérieusement, c'est une chose surprenante que sa beauté; et sa taille qui 30 n'est pas de la moitié si grosse qu'elle étoit, sans que son teint, ni ses yeux, ni ses lèvres, en soient moins bien. Elle étoit tout habillée de point de France; coiffée de mille boucles; les deux des tempes lui tomboient fort bas sur les

deux joues; des rubans noirs sur la tête, des perles de la
maréchale de l'Hospital, embellies de boucles et de pende-
loques de diamants de la dernière beauté, trois ou quatre
poinçons, une boite, point de coiffe, en un mot, une triom-
5 phante beauté à faire admirer à tous les ambassadeurs.
Elle a su qu'on se plaignoit qu'elle empêchoit toute la
France de voir le Roi; elle l'a redonné, comme vous voyez;
et vous ne sauriez croire la joie que tout le monde en a, ni
de quelle beauté cela rend la cour.   Cette agréable confu-
10 sion, sans confusion, de tout ce qu'il y a de plus choisi, dure
jusqu'à six heures depuis trois.   S'il vient des courriers, le
Roi se retire pour lire ses lettres, et puis revient.   Il y a
toujours quelque musique qu'il écoute, et qui fait un très-
bon effet.   Il cause avec celles qui ont accoutumé d'avoir
15 cet honneur.   Enfin on quitte le jeu à l'heure que je vous
ai dit; on n'a du tout point de peine à faire les comptes; il
n'y a point de jetons ni de marques; les poules sont au
moins de cinq, six ou sept cents louis, les grosses de mille,
de douze cents.   On en met d'abord vingt chacun, c'est
20 cent; et puis celui qui fait en met dix.   On donne chacun
quatre louis à celui qui a le quinola; on passe; et quand on
fait jouer, et qu'on ne prend pas la poule, on en met seize à
la poule, pour apprendre à jouer mal à propos.   On parle
sans cesse, et rien ne demeure sur le cœur.   "Combien
25 avez-vous de cœurs?—J'en ai deux, j'en ai trois, j'en ai un,
j'en ai quatre."   Il n'en a donc que trois, que quatre.   Et
de tout ce caquet Dangeau est ravi: il découvre le jeu, il
tire ses conséquences, il voit ce qu'il y a à faire; enfin
j'étois ravie de voir cet excès d'habileté: vraiment c'est bien
30 lui qui sait le dessous des cartes, car il sait toutes les autres
couleurs.   A six heures donc on monte en calèche, le Roi,
Mme de Montespan, Monsieur, Mme de Thianges, et la
bonne d'Heudicourt sur le strapontin, c'est-à-dire comme en
paradis, ou dans *la gloire de Niquée*.   Vous savez comme ces

calèches sont faites: on ne se regarde point, on est tourné
du même côté. La Reine étoit dans une autre avec les princesses, et ensuite tout le monde attroupé selon sa fantaisie.
On va sur le canal dans des gondoles, on y trouve de
la musique, on revient à dix heures, on trouve la comédie, 5
minuit sonne, on fait médianoche: voilà comme se passa le
samedi. Nous revînmes quand on monta en calèche.

De vous dire combien de fois on me parla de vous, combien on me demanda de vos nouvelles, combien on me fit
de questions sans attendre la réponse, combien j'en épar- 10
gnai, combien on s'en soucioit peu, combien je m'en souciois
encore moins, vous connoîtriez au naturel l'*iniqua corte*.
Cependant elle ne fut jamais si agréable, et l'on souhaite
fort que cela continue. Mme de Nevers est fort jolie, fort
modeste, fort naïve: sa beauté fait souvenir de vous. M. 15
de Nevers est toujours le plus plaisant robin; sa femme
l'aime de passion. Mlle de Thianges est plus régulièrement
belle que sa sœur. M. du Maine est incomparable; l'esprit
qu'il a est étonnant; les choses qu'il dit ne se peuvent
imaginer. Mme de Maintenon, Mme de Thianges, *Guelphes* 20
et *Gibelins*, songez que tout est rassemblé. Madame me fit
mille honnêtetés à cause de la bonne princesse de Tarente.
Mme de Monaco étoit à Paris.

Monsieur le Prince fut voir l'autre jour Mme de la
Fayette: ce prince *alla cui spada ogni vittoria è certa*. Le 25
moyen de n'être pas flatté d'une telle estime, et d'autant
plus qu'il ne la jette pas à la tête des dames? Il parle de
la guerre, il attend des nouvelles comme les autres. On
tremble un peu de celles d'Allemagne. On dit pourtant
que le Rhin est tellement enflé des neiges qui fondent des 30
montagnes, que les ennemis sont plus embarrassés que nous.
Rambures a été tué par un de ses soldats, qui déchargeoit
son mousquet très-innocemment. Le siège d'Aire continue;
nous y avons perdu quelques lieutenants aux gardes et quel-

ques soldats. L'armée de Schomberg est en pleine sûreté.
Mme de Schomberg s'est remise à m'aimer : le baron en
profite par les caresses excessives de son général.    Le *petit
glorieux* n'a pas plus d'affaires que les autres : il pourra
5 s'ennuyer ; mais s'il a besoin d'une contusion, il faudra qu'il
se la fasse lui-même : Dieu les conserve dans cette oisiveté !
Voilà, ma bonne, d'épouvantables détails : ou ils vous en-
nuieront beaucoup, ou ils vous amuseront ; ils ne peuvent
point être indifférents.  Je souhaite que vous soyez dans
10 cette humeur où vous me dites quelquefois : "Mais vous ne
voulez pas me parler ; mais j'admire ma mère, qui aimeroit
mieux mourir que de me dire un seul mot."    Oh ! si vous
n'êtes pas contente, ce n'est pas ma faute ; non plus que la
vôtre, si je ne l'ai pas été de la mort de Ruyter.    Il y a des
15 endroits dans vos lettres qui sont divins.    Vous me parlez
très-bien du mariage, il n'y a rien de mieux ; le jugement
domine, mais c'est un peu tard.    Conservez-moi dans les
bonnes grâces de M. de la Garde, et toujours des amitiés
pour moi à M. de Grignan.    La justesse de nos pensées sur
20 votre départ renouvelle notre amitié.

Vous trouvez que ma plume est toujours taillée pour dire
des merveilles du grand-maître : je ne le nie pas absolu-
ment ; mais je croyois m'être moquée de lui, en vous disant
l'envie qu'il a de parvenir, et qu'il veut être maréchal de
25 France à la rigueur, comme du temps passé ; mais c'est que
vous m'en voulez sur ce sujet : le monde est bien injuste.

Il l'a bien été aussi pour la Brinvilliers : jamais tant de
crimes n'ont été traités si doucement, elle n'a pas eu la
question.    On lui faisoit entrevoir une grâce, et si bien
30 entrevoir, qu'elle ne croyoit point mourir, et dit en montant
sur l'échafaud : "C'est donc tout de bon ?"    Enfin elle est
au vent, et son confesseur dit que c'est une sainte.    Monsieur le premier président lui avoit choisi ce docteur comme
une merveille : c'étoit celui qu'on vouloit qu'elle prît.  N'avez-

vous point vu ces gens qui font des tours de cartes? ils les
mêlent incessamment, et vous disent d'en prendre une telle
que vous voudrez, et qu'ils ne s'en soucient pas; vous la
prenez, vous croyez l'avoir prise, et c'est justement celle
qu'ils veulent: à l'application, elle est juste.  Le maréchal 5
de Villeroi disoit l'autre jour: "Penautier sera ruiné de
cette affaire"; le maréchal de Gramont répondit: "Il
faudra qu'il supprime sa table"; voilà bien des épigrammes.
Je suppose que vous savez qu'on croit qu'il y a cent mille
écus répandus pour faciliter toutes choses: l'innocence ne 10
fait guère de telles profusions.  On ne peut écrire tout ce
qu'on sait; ce sera pour une soirée.  Rien n'est si plaisant
que tout ce que vous me dites sur cette horrible femme.
Je crois que vous avez contentement; car il n'est pas possible qu'elle soit en paradis; sa vilaine âme doit être séparée 15
des autres.  *Assassiner est le plus sûr;* nous sommes de votre
avis; c'est une bagatelle en comparaison d'être huit mois à
tuer son père, et à recevoir toutes ses caresses et toutes ses
douceurs, où elle ne répondoit qu'en doublant toujours la
dose. 20

Contez à Monsieur l'archevêque ce que m'a fait dire Monsieur le premier président pour ma santé.  J'ai fait voir mes
mains et quasi mes genoux à Langeron, afin qu'il vous en
rende compte.  J'ai d'une manière de pommade qui me
guérira, à ce qu'on m'assure; je n'aurai point la cruauté de 25
me plonger dans le sang d'un bœuf, que la canicule ne soit
passée.  C'est vous, ma fille, qui me guérirez de tous mes
maux.  Si M. de Grignan pouvoit comprendre le plaisir
qu'il me fait d'approuver votre voyage, il seroit consolé par
avance de six semaines qu'il sera sans vous. 30

Mme de la Fayette n'est point mal avec Mme de Schomberg.  Cette dernière me fait des merveilles, et son mari à
mon fils.  Mme de Villars songe tout de bon à s'en aller en
Savoie; elle vous trouvera en chemin.  Corbinelli vous

adore, il n'en faut rien rabattre; il a toujours des soins de
moi admirables. Le *bien Bon* vous prie de ne pas douter
de la joie qu'il aura de vous voir; il est persuadé que ce
remède m'est nécessaire, et vous savez l'amitié qu'il a pour
5 moi. Livry me revient souvent dans la tête, et je dis que
je commence à étouffer, afin qu'on approuve mon voyage.

Adieu, ma très-aimable et très-aimée : vous me priez de
vous aimer; ah ! vraiment je le veux bien; il ne sera pas
dit que je vous refuse quelque chose.

### 576.— DE MADAME DE SEVIGNE A MADAME DE GRIGNAN.

10 . A LIVRY, *vendredi 11e septembre* [*1676*].

Vous me parlez bien plaisamment du coadjuteur. Vous
avez donc repris les libertés que nous prenions à Grignan;
quel tourment nous lui faisions sur ces contes, que M. de
Grignan disoit qu'il pouvoit porter partout, sans craindre la
15 gabelle ! Jamais je n'ai vu un homme entendre si parfaitement bien la raillerie.

Il y eut l'autre jour une vieille décrépite qui se présenta
au dîner du Roi : elle faisoit frayeur. Monsieur la repoussa,
en lui demandant ce qu'elle vouloit : "Hélas ! Monsieur,
20 lui dit-elle, c'est que je voudrois bien prier le Roi de me
faire parler à M. de Louvois." Le Roi lui dit : "Tenez,
voilà Monsieur de Rheims qui y a plus de pouvoir que moi."
Cela réjouit fort tout le monde. Nanteuil, d'un autre côté,
prioit Sa Majesté de commander à M. de Calvo de se laisser
25 peindre. Il fait un cabinet où vous voyez bien qu'il veut lui
donner place, et lui s'inquiète fort peu d'y être placé. Tout
ce que vous avez pensé de Maestricht est arrivé, comme
l'accomplissement d'une prophétie. Le Roi a donné ce matin
à M. de Roquelaure le gouvernement de Guienne : voilà une
30 longue patience récompensée par un admirable présent.

Tout le monde croit que l'étoile de Mme de Montespan
pâlit. Il y a des larmes, des chagrins naturels, des gaietés
affectées, des bouderies; enfin, ma bonne, tout finit. On
regarde, on observe, on s'imagine, on trouve des rayons de
lumière sur les visages que l'on trouvoit indignes, il y a un  5
mois, d'être comparés aux autres; on joue fort gaiement,
quoiqu'on garde la chambre. Les uns tremblent, les autres
se réjouissent, les uns souhaitent l'immutabilité, la plupart
un changement de théâtre; enfin l'on est dans le temps d'une
crise d'attention, à ce que disent les plus clairvoyants.  10

La petite de Rochefort sera demain mariée à son cousin
de Nangis. Elle a douze ans. Si elle a bientôt un enfant,
madame la chancelière pourra dire : "Ma fille, allez dire à
votre fille que la fille de sa fille crie." Mme de Rochefort
est cachée dans un couvent pendant cette noce, et paroît  15
toujours inconsolable.


806. — DE MADAME DE SEVIGNE ET DE CHARLES DE
SEVIGNE A MADAME DE GRIGNAN.

A ORLÉANS, *mercredi 8ᵉ mai [1680]*.

DE MADAME DE SEVIGNE.

Nous voici arrivés, ma très-chère, sans aucune aventure
considérable : il fait le plus beau temps du monde, les che-  20
mins sont admirables; notre équipage va bien; mon fils
m'a prêté ses chevaux, et m'est venu conduire jusqu'ici. Il
a fort égayé la tristesse du voyage : nous avons causé, dis-
puté et lu; nous sommes dans les mêmes erreurs, cela four-
nit beaucoup. Notre essieu rompit hier dans un lieu mer-  25
veilleux; nous fûmes secourus par le véritable portrait de
*M. de Sottenville;* c'est un homme qui feroit les *Géorgiques*
de Virgile, si elles n'étoient déjà faites, tant il sait profondé-

ment le ménage de la campagne; il nous fit venir Madame
sa femme, qui est assurément *de la maison de la Prudoterie,*
*où le ventre anoblit.* Nous fûmes deux heures en cette compagnie sans nous ennuyer, par la nouveauté d'une conver-
5 sation et d'une langue entièrement nouvelles pour nous.
Nous fîmes bien des réflexions sur le parfait contentement
de ce gentilhomme, de qui l'on peut dire :

> Heureux qui se nourrit du lait de ses brebis,
> Et qui de leurs toisons voit filer ses habits !

10    Les jours sont si longs que nous n'eûmes pas même
besoin du secours de la plus belle lune du monde, qui nous
accompagnera sur la Loire, où nous nous embarquons demain. Quand vous recevrez cette lettre, ma fille, je serai
à Nantes : savez-vous bien qu'aujourd'hui je ne suis pas
15 encore plus loin de vous qu'à Paris ? Nous avons tiré un
filet, et nous avons trouvé que Nantes même n'était guère
plus loin de vous que Paris. Mais en vérité, ma très-chère,
voilà de légères consolations ; je n'ai pas même celle de
recevoir de vos nouvelles. Vos lettres n'arrivent qu'au-
20 jourd'hui à Paris ; du But y joindra celles de samedi, et
j'aurai les deux paquets ensemble à Nantes : je n'ai point
voulu les hasarder par une route incertaine, puisqu'elle
dépend du vent ; vous croyez donc bien que j'aurai quelque
impatience d'arriver à Nantes.

25    Adieu, mon enfant : que puis-je vous dire ? Vous avez
des résidents qui vous doivent instruire ; je ne suis plus
bonne à rien qu'à vous aimer, sans pouvoir faire nul usage
de cette bonne qualité : cela est triste pour une personne
aussi vive que moi. Le bon abbé vous assure de ses ser-
30 vices ; je suis fort occupée du soin de le conserver : les voyages ne sont plus pour lui comme autrefois. Je vous embrasse de tout mon cœur. Votre frère veut discourir.

## DE CHARLES DE SEVIGNE.

Puisque vous savez que je suis ici, ma belle petite sœur,
je n'ai quasi plus rien à dire pour discourir, si ce n'est que
pour me rendre nécessaire, j'ai voulu me mêler de faire le
marché du bateau, et que dès qu'il a été conclu, mon oncle, 5
d'une seule parole, l'a eu à une pistole meilleur marché que
moi ; cela donnera sujet à ma mère de faire des réflexions
sur l'amendement que les années apportent à ma pauvre
cervelle : en vérité, elles ne servent de guère ; tout ce que
je puis penser de bon est toujours inutile et demeure sans 10
effet, et j'ai toujours la grâce efficace pour tout ce qui ne
vaut pas grand'chose.   J'ai une douleur mortelle de voir ma
mère aller en Bretagne sans moi ; ce qui me console, c'est
que vous n'êtes point à Paris, et que l'éloignement où vous
allez être ne vous coûte pas, à beaucoup près, ce que vous 15
coûterait une nouvelle séparation.   Elle est en parfaite
santé.   Il faut espérer que ce voyage sera le dernier qu'elle
fera dans un pays si éloigné du vôtre.   J'irai la voir au mois
de septembre ; il faudra bien que dans ce temps vous me
fassiez des compliments de joie, puisque avec la violente 20
inclination que j'ai de passer ma vie avec les Bretons, je
serai dans mon élément.

Adieu, adieu, ma petite sœur : je ne suis pas encore assez
provincial pour ne pas souhaiter passionnément de vous voir
cet hiver à Paris ; il me semble que votre retour est certain. 25
Vous aurez un très-joli appartement, et j'aurai le plaisir de
ne vous point faire de honte, puisque je serai encore sous-
lieutenant des gendarmes de Monsieur le Dauphin.   En
vérité j'ai été surpris de voir qu'un voyage de cinq mois me
fît regarder comme *M. de Sottenville ;* je m'en vais essayer 30
de vous ôter ces impressions, et en y travaillant, je ne me
ferai pas tant de violence que vous pourriez bien croire.
Ne vous gâtez point l'imagination sur mon sujet ; je vous

aime trop pour vouloir vous donner de certains chagrins.
J'avois l'autre jour écrit une réponse à M. de Grignan;
mais ma mère, avec beaucoup de raison, la trouva si peu
digne de ce qu'il m'avoit écrit, qu'elle la brûla : je le prie
5 de ne pas laisser de la recevoir ; il est bienheureux qu'on
lui ait ôté la peine de la lire.   Je salue Mlles de Grignan,
et j'ordonne au petit marquis de ne pas oublier de me
contrefaire.

### 807. — DE MADAME DE SEVIGNE A MADAME DE GRIGNAN.

A BLOIS, *jeudi 9e mai* [*1680*].

10    Je veux vous écrire tous les soirs, ma chère enfant ; rien
ne me peut contenter que cet amusement.   Je tourne, je
marche, je veux reprendre mon livre ; j'ai beau *tourner une
affaire*, je m'ennuie, et c'est mon écritoire qu'il me faut.   Il
faut que je vous parle, et qu'encore que cette lettre ne parte
15 ni aujourd'hui, ni demain, je vous rende compte tous les
soirs de ma journée.

Mon fils est parti cette nuit d'Orléans par la diligence,
qui part tous les jours à trois heures du matin, et arrive le
soir à Paris ; cela fait un peu de chagrin à la poste.   Voilà
20 les nouvelles de la route, en attendant celles de Danemark.
Nous sommes montés dans le bateau à six heures par le
plus beau temps du monde ; j'y ai fait mettre le corps de
mon grand carrosse, d'une manière que le soleil n'a point
entrée dedans : nous avons baissé les glaces ; l'ouverture
25 du devant fait un tableau merveilleux ; celles des portières
et des petits côtés nous donnent tous les points de vue
qu'on peut imaginer.   Nous ne sommes que l'abbé et moi
dans ce joli cabinet, sur de bons coussins, bien à l'air, bien
à notre aise ; tout le reste, comme des cochons sur la paille.
30 Nous avons mangé du potage et du bouilli tout chaud : on

a un petit fourneau, on mange sur un ais dans le carrosse, comme le Roi et la Reine : voyez, je vous prie, comme tout s'est raffiné sur notre Loire, et comme nous étions grossiers autrefois que *le cœur étoit à gauche :* en vérité, ma fille, le mien, ou à droite ou à gauche, est tout plein de vous. Si vous me demandez ce que je fais dans ce carrosse charmant, où je n'ai point de peur, j'y pense à ma chère enfant, je m'entretiens de la tendre amitié que j'ai pour elle, de celle qu'elle a pour moi, de la sensibilité que j'ai pour tous ses intérêts, des ordres de la Providence qui nous séparent, de la tristesse que j'en ai ; je pense à ses affaires, je pense aux miennes ; tout cela forme un peu *l'humeur de ma fille*, malgré *l'humeur de ma mère*, qui brille tout autour de moi. Je regarde, j'admire cette belle vue qui fait l'occupation des peintres. Je suis touchée de la bonté du bon abbé, qui, à soixante et treize ans, s'embarque encore sur la terre et sur l'onde pour mes affaires. Après cela je prends un livre que M. de la Rochefoucauld me fit acheter : c'est *de la Réunion du Portugal* en deux tomes in-8°. C'est une traduction de l'italien : l'histoire et le style sont également estimables. On y voit le roi de Portugal, jeune et brave prince, se précipiter rapidement à sa mauvaise destinée ; il périt dans une guerre en Afrique contre le fils d'Abdalla, oncle de Zaïde : c'est assurément une des plus amusantes histoires qu'on puisse lire. Je reviens ensuite à la Providence, à ses conduites, à ce que je vous ai entendu dire, que nos volontés sont les exécutrices de ses décrets éternels. Je voudrois bien causer avec quelqu'un ; je viens d'un lieu où l'on est assez accoutumé à discourir : nous parlons, le bon abbé et moi, mais ce n'est pas d'une manière qui puisse nous divertir. Nous passons tous les ponts avec un plaisir qui nous les fait souhaiter : il n'y a pas beaucoup d'*ex voto* pour les naufrages de la Loire, non plus que pour la Durance ; il y auroit plus de raison de craindre cette dernière, qui est folle, que notre

Loire, qui est sage et majestueuse.  Enfin nous sommes
arrivés ici de bonne heure ; chacun tourne, chacun se rase,
et moi j'écris romanesquement sur le bord de la rivière, où
est située notre hôtellerie : c'est *la Galère ;* vous y avez été.
5    J'ai entendu mille rossignols ; j'ai pensé à ceux que vous
entendez sur votre balcon.  Je n'ose vous dire, ma fille, la
tristesse que l'idée de votre délicate santé a jetée sur toutes
mes pensées,: vous la comprenez bien, et à quel point je
souhaite que cette santé se rétablisse ; si vous m'aimez, vous
10 y mettrez vos soins et votre application, afin de me témoigner la véritable amitié que vous avez pour moi : cet endroit
est une pierre de touche.  Bonsoir, ma très-chère ; adieu
jusqu'à demain à Tours.

A Tours, *vendredi 10ᵉ mai.*

15   Toujours, ma fille, avec la même prospérité.  Je n'ai
jamais rien vu de pareil à la beauté de cette route.  Mais
comprenez-vous bien comme notre carrosse est mis de travers ?  Nous ne sommes jamais incommodés du soleil : il
est sur notre tête, le levant est à la gauche, le couchant à
20 la droite ; et c'est la cabane qui nous en défend.  Nous par-
courons toute cette belle côte, et nous voyons deux mille
objets différents, qui passent incessamment devant nos yeux,
comme autant de paysages nouveaux, dont M. de Grignan
seroit charmé : je lui en souhaiterois un seulement à l'en-
25 droit que je dirois.

On attendoit, le lendemain de mon départ, la belle Fontanges à la cour : c'est au chevalier présentement à faire
son devoir ; je ne suis plus bonne à rien du tout : si vous
ne m'aimiez, il faudroit brûler mes misérables lettres avant
30 que de les ouvrir.  Adieu donc, ma très-aimable enfant ;
adieu, Monsieur de Grignan.

## 808. — DE MADAME DE SEVIGNE A MADAME DE GRIGNAN.

A Saumur, *samedi 11e mai [1680]*.

Nous arrivons ici, ma très-belle ; nous avons quitté Tours
ce matin ; j'y ai laissé à la poste une lettre pour vous.  Qui
m'ôteroit la faculté de penser, m'embarrasseroit beaucoup,
surtout dans ce voyage.  Je suis douze heures de suite dans 5
ce carrosse si bien placé, si bien exposé ; j'en emploie quel-
ques-unes à manger, à boire, à lire, beaucoup à regarder, à
admirer ; et encore plus à rêver, à penser à vous.  Je suis
assurée, ma chère enfant, que vous ne croyez point que ce
soit une flatterie ; c'est une vérité : je vous parcours, je 10
vous dévide, je vous redévide, je passe par mille endroits
tristes, fâcheux, d'autres doux et sensibles.  Je pense à
votre belle jeunesse, à votre santé ; de quelle manière elle
a été maltraitée, comme vous en avez abusé, comme votre
sang s'est irrité ; nous ne fûmes point assez effrayés de 15
cette première marque qu'il nous en donna, et qui fut le
commencement de tous vos maux.  Enfin que ne pense-t-on
point quand on pense toujours, avec beaucoup de silence
et de loisir ?  Je ne vous dis point tous les pays que j'ai
battus, ni tous les chemins que fait mon imagination ; ma 20
lettre seroit trop longue : ce qui est vrai, c'est que je trouve
toujours une égale tendresse dans mon cœur ; j'aimerois
fort à vous parler sur certains chapitres, mais ce plaisir
n'est pas à portée d'être espéré ; en attendant, *je pense,
donc je suis ;* je pense à vous avec tendresse, donc je vous 25
aime ; je pense uniquement à vous de cette manière, donc
je vous aime uniquement.

Le bon abbé se porte fort bien ; il est charmé de cette
route : jamais on n'a fait ce voyage comme nous le faisons ;
c'est dommage que nous ne soyons un peu moins solitaires. 30
Je vous jure pourtant que je ne souhaite personne, et

qu'étant condamnée à m'éloigner de vous, j'aime encore
mieux être toute seule et toute libre, et me donner entièrement à mes affaires, que d'être détournée sans être contente.
Me voilà donc fort bien pour quatre ou cinq mois, puisqu'il
5 le faut.

J'ai bien envie que vous voyiez un peu plus clair à Mlle
de Grignan.   Pour vos affaires, vous ne les voyez que trop;
c'est une étrange chose que d'avoir à réparer, six mois de
suite, les dépenses d'un hiver à Aix ; vraiment c'est bien
10 pour avoir vécu.   Cependant je veux espérer que la Providence démêlera tout mieux que nous ne pensons : il y a de
certains avenirs obscurs qui s'éclaircissent quelquefois tout
d'un coup ; ma chère enfant, vous voyez bien ce que je
pense et ce que je désire là-dessus, et vous entendez tout ce
15 que je ne dis pas.   Mon ennui par-dessus l'ordinaire, c'est
d'être si longtemps sans avoir de vos lettres : cela me
trouble ; il part aujourd'hui de Paris deux paquets de vous,
qui arriveront à Nantes lundi, comme moi : voilà tout l'ordre
que j'ai pu donner.   C'étoit une folie de prétendre attraper
20 vos lettres, en volant, par les villes où je ne suis qu'un
moment, et où je n'arrive que comme il plaît au vent : il a
eu jusqu'ici la dernière complaisance, mais le moyen d'y
compter sûrement ?   Voilà le bon abbé qui vous fait mille
amitiés.   Je lis toujours avec plaisir mon histoire de Por-
25 tugal ; mais je n'ai rien lu de vous depuis le 28e du passé ;
cela est long : je relis vos anciennes lettres.   Adieu, ma
très-chère : en voilà assez pour aujourd'hui.

## 809. — DE MADAME DE SEVIGNE A MADAME DE GRIGNAN.

A INGRANDE, *dimanche au soir 12e mai* [*1680*].

Nous voici arrivés, ma chère fille, avec le même beau
30 temps, la même rivière, et les mêmes rossignols.   Je ne

m'accoutume point à la beauté de ce pays, et je crois que
vous en seriez surprise vous-même, comme si vous ne l'aviez
jamais vu.   Il y a des âges où l'on ne regarde que soi ; vous
n'en avez jamais été fort occupée ;  cependant il me semble
que nous étions plus appliquées dans ce bâteau à disputer  5
contre ce petit comte des Chapelles qu'à regarder ces
beautés champêtres.   Voici justement tout le contraire :
nous sommes dans un profond silence, parfaitement à notre
aise, lisant, rêvant, dans un entier éloignement de toutes
sortes de nouvelles, et vivant enfin sur nos réflexions. 10
Le bon abbé prie Dieu sans cesse ; j'écoute ses lectures
saintes ; mais quand il est dans le chapelet, je m'en dis-
pense, trouvant que je rêve assez sans cela.   C'est ainsi,
ma fille, que nous trouvons le moyen de passer douze ou
quatorze heures sans nous désespérer, tant la liberté est 15
une belle chose.   Vous connoissez la Loire par un autre
bout, que j'honore, quoique moins beau, puisqu'elle m'a
apporté et m'apportera encore cette chère fille qui m'occupe
si tendrement.

   Je voulois voir aujourd'hui Monsieur d'Angers ; il le sou- 20
haitoit ; j'avois bien des choses à lui dire sur toutes les
sortes de malheurs dont il est accablé ; mais il fait sa visite,
il n'a pas reçu ma lettre.   Demain nous serons tout à fait
dans le grand monde, à Nantes ; j'y trouverai de vos lettres,
et j'y achèverai celle-ci.   Auroit-on été assez cruel à Paris 25
pour ne vous avoir pas envoyé ce petit couplet sur M. de
Dreux ?   Il est extrêmement joli ; il sortoit de sa coque le
jour que je partis de Paris.

A NANTES, lundi 13e mai [1680].

   En vérité, voici un beau journal ; j'abuse bien de votre 30
amitié ; vous voyez que je n'en suis que trop persuadée :
l'ennui de mes détails devroit vous faire dire, comme de vos
processions qui vous attirent trop de pluie : *basta la metà
della cortesia.*   Nous venons d'arriver en cette ville si bien

située ; je ne puis jamais passer au pied d'une certaine tour,
que je ne me souvienne de ce pauvre cardinal, et de sa
funeste mort, encore plus funeste que vous ne le sauriez
penser.    Je passe entièrement cet article, sur quoi il y
5 auroit trop à dire ; il vaut mieux se taire mille fois ; peut-
être que la Providence voudra quelque jour que nous en
parlions à fond.

Nous voici donc chez M. d'Harouys, reçus et servis comme
chez nous.    Je crains M. de Molac, qui est ici, et qui vien-
10 dra encore me dire vingt fois de suite, comme il fit une fois
que vous y étiez : *"Vous deviez bien m'avertir de ça, vous
deviez bien m'avertir de ça."*    Vous souvient-il de cette sot-
tise ?    En l'attendant, je lis un paquet que je reçois de
vous ; c'est la seule joie que je puisse avoir, mais ce ne
15 peut être sans beaucoup d'émotion : cela est attaché à la
manière dont je vous aime.    Je trouve, ma très-chère, que
vous écrivez trop ; vous abusez de votre petite santé ; elle
ne vous durera guère, si vous ne la ménagez pas mieux, et
que vous écriviez à bride abattue ; votre délicatesse de-
20 mande que vous observiez plus de mesure.    Il est vrai que
les sujets que vous avez traités ne souffrent pas la main
d'une autre ; mais il falloit vous reposer.    Je crois qu'enfin
vous vous corrigerez ; et cependant je m'en vais vous répondre.

25    Je voudrois bien, premièrement, que vous ne me missiez
point dans le nombre de ceux que vous trouvez qui souhai-
toient votre départ, puisque rien ne peut m'être si dur ni si
sensible que votre éloignement ; mais dites mieux, et faites-
vous tout l'honneur que vous méritez : c'est que vous aimez
30 M. de Grignan, et en vérité il le mérite ; c'est que vous êtes
ravie de lui plaire ; j'ai même trouvé fort souvent que vous
n'aviez pas un véritable repos, quand il étoit loin de vous.
Il a une politesse et une complaisance plus capable de vous
toucher et de vous mener aux Indes que toutes les autres

conduites que l'on pourroit imaginer : en vous faisant toujours la maîtresse, il est toujours le maître ; cette manière
lui est naturelle, mais s'il y avoit un art pour mener un
cœur comme le vôtre, il l'auroit uniquement trouvé.   Vous
avez vu au travers de ses honnêtetés ce qu'il souhaitoit,   5
vous avez été conduite par l'envie de lui plaire : c'est donc
à lui à décider, quand des voyages vous seront aussi rui-
neux, ou à vous à dire vos raisons un peu plus fortement,
puisque c'est votre intérêt commun de ne plus jouer le rôle
de gouverneurs, dont vous ne vous acquittez que trop bien.  10
C'est proprement causer que tout ceci ; car c'est une chose
passée : il s'agit de songer à réparer ces étranges brèches.
M. de Grignan m'écrit une lettre fort honnête ; il me fait
voir qu'il ne veut pas que j'aie mauvaise opinion de lui, et
conte si bien toutes ses raisons, qu'il n'y a rien à lui  15
répliquer.

On travaillera à votre petit appartement, selon vos inten-
tions ; tout cela est réglé, les cloisons, la cheminée, le par-
quet de la chambre, les croisées.   Je crois que c'est aujour-
d'hui qu'on commence ; le bon du But est surintendant de  20
cet ouvrage.   Il faut espérer, ma chère enfant, quelque
chose de plus doux que d'être à cent mille lieues les uns
des autres, comme nous voilà présentement : cela fait peur.
Vous êtes bien heureux d'avoir donné de si bons ordres à
Entrecasteaux, et de voir augmenter cette terre ; je crains  25
bien de voir ici tout le contraire ; je vous en manderai des
nouvelles.

J'ai relu ce matin votre lettre, et je n'ai point compris
pourquoi vous m'enveloppez entièrement dans *tout ce monde*
que vous dites *qui souhaitoit votre départ :* voilà une facette  30
que je ne connois point en vous ; j'aurai le temps de méditer là-dessus, quoique je ne sois plus dans un bateau.   Je
crois avoir mieux jugé de la véritable raison de votre départ.
Imaginez-vous, pour vous consoler des dépenses d'Aix, que

M. de Grignan n'en auroit guère moins fait, s'il y avoit été sans vous ; que son retour auroit coûté aussi ; que si vous étiez partie présentement, c'eût été encore de la dépense : figurez-vous des habits fort honnêtes qu'il auroit fallu avoir
5 pour le mariage de la Dauphine ; et enfin c'est peut-être la décision de la destinée de Mlle de Grignan que ce voyage : c'est par cette suite et cet arrangement que la Providence l'a marqué.   Voilà ce qui me vient au bout de ma plume pour me consoler moi-même d'une chose passée, sur quoi
10 nous n'avons plus de droit, et sur quoi nous causons pour causer ; c'est aussi pour vous demander bien sérieusement si c'est tout de bon que vous avez pu vous représenter que je fusse contente de vous voir partir dans l'état où vous étiez ; je verrai par là ce que vous croyez de mon amitié, et
15 de quelle façon vous accommodez des choses si opposées. Adieu, ma très-chère : je ne me reproche à votre égard aucun sentiment qui ne soit conforme et très-naturellement attaché à la tendresse que j'ai pour vous.

A Nantes, *mardi au soir 14ᵉ mai* [*1680*].

20   Je reçois présentement votre paquet, et quoique la poste soit prête à partir, je ne puis m'empêcher de vous remercier de vos amitiés et de celles de Pauline.   Vous étiez bien lasse, ma chère enfant : reposez-vous ; craignez de vous remettre dans un état misérable ; suivez les conseils de la
25 Rouvière ; je m'en vais bien faire valoir à Mme de Thianges qu'il a guéri son frère : je voudrois bien qu'il vous guérît aussi.   Nous avons très-bien jugé du prieur de Cabrières : c'est *le médecin forcé.*   Cependant Mme de Coulanges me mande qu'*en faisant ses fagots*, il a guéri Mme de Fon-
30 tanges, qui est revenue à la cour, où elle reçut d'abord pu-bliquement une fort belle visite.   Le Roi veut que ce prieur s'établisse à Paris : il n'ira chez lui que pour revenir.   La comparaison de *Carthage* et de votre chambre est tout à fait

juste et belle ; elle saute aux yeux : j'aime ces sortes de
folies.   Croiriez-vous que je suis enfermée aujourd'hui pour
écrire, et que j'ai refusé rudement toutes les Madames ?
J'avois à faire réponse à M. de Grignan, à achever cette
lettre, sans compter mille billets à toutes mes amies qui   5
m'ont écrit.   Adieu : je vous en dirai davantage samedi.
Mandez-moi si votre voyage ne vous a point fait de mal ;
nous avons fait le nôtre sans la moindre incommodité.


1312.— DE MADAME DE GRIGNAN A COULANGES.

A GRIGNAN, *le 17ᵉ décembre* [*1690*].

Oui, nous sommes ensemble, nous aimant, nous embras-   10
sant de tout notre cœur : moi, ravie de voir ma mère venir
courageusement me chercher du bout de l'univers, et du
couchant à l'aurore ; il n'y a qu'elle au monde capable d'exé-
cuter de pareilles entreprises, et d'être auprès de son enfant,
*tout comme Niquée voyant son amant.*   Vous avez donc donné   15
votre approbation à son voyage, mon cher cousin : je vous
en remercie ; je donne la mienne à votre retour en récompense.   Vous ne me mandez que vos espérances d'avoir
votre congé, et M. le duc de Chaulnes m'en apprend la cer-
titude.   Les mains vides sont sans appas ; et je voudrois   20
bien qu'il apportât des bulles ; il me semble que c'est votre
affaire autant que la sienne ; la part que vous y avez prise
par votre chanson célèbre vous engage à sortir honorable-
ment de cette affaire.   Ne vous chargez point de celle
d'apporter un chien à Pauline : nous ne voulons aimer ici   25
que des créatures raisonnables ; et de la secte dont nous
sommes, nous ne voulons pas nous embarrasser de ces
sortes de *machines ;* si elles étoient montées pour n'avoir
aucune nécessité malpropre, à la bonne heure ; mais ce qu'il
en faut souffrir nous les rend insupportables ; vous serez   30
assez bien reçu, sans avoir besoin de faire des présents pour

gagner le cœur de votre future épouse : il vous est très-
fidèle, et rien ne vous empêchera de finir la noce, que l'absence du père, qui médite un prompt départ, et qui seroit
parti il y a six semaines, sans une maladie assez considé-
5 rable.    Mais, mon cher cousin, songez-vous bien qu'à votre
retour vous ne serez plus voisin de l'hôtel de Chaulnes ; que
vos tableaux sont dérangés, que vous ne pouvez jamais trouver à les remettre dans la perfection où ils étoient ?    J'ai eu
une véritable peine de l'inconstance de Mme de Coulanges ;
10 vous m'en consolez, en me faisant envisager qu'elle pourroit
vous faire trouver dans le Temple des sociétés délicieuses ;
mais après tout, ni M. le cardinal de Bouillon, ni MM. de
Vendôme ne sont d'un grand secours dans cette grande
maison, plus faite pour leurs équipages que pour eux ; il
15 faut donc chercher sa consolation dans le peu de temps que
vous serez au Temple, et songer qu'au bout de trente-cinq
ans vous retournerez à Rome : vous serez encore bien jeune
en ce temps-là, si vous continuez.    J'ai bien de l'impatience
de voir toutes vos poésies de Rome ; apportez-moi, si vous
20 pouvez, celles de M. le duc de Nevers ; elles sont d'un goût
si relevé et si singulier, qu'on ne peut s'empêcher de blâmer
le soin qu'il prend de les cacher si cruellement.    Quoi ?
vous êtes admis dans les sacrés mystères de ce solitaire
ménage !   Je vous admire d'avoir osé attaquer le caprice du
25 mari, et la délicatesse de la femme ; je savois bien qu'elle
étoit adorable ; mais je vous avoue que je ne croyois pas
que ce fût pour vous, ni que les louanges que vous lui donnez lui convinssent.    Il ne vous falloit pas une moins délicieuse société pour vous tenir lieu de tout ce que vous avez
30 perdu en perdant M. le prince de Turenne et M. le cardinal
de Bouillon.    Le bruit court que ce dernier est plus triste à
Paris qu'à Rome : son neveu et lui ont pourtant été bien
reçus.    N'avez-vous pas été bien affligé de M. de Seignelai ?
Il y a de belles réflexions à faire sur cette tragique destinée ;

son cabinet, mon cher cousin, est encore plus dérangé que le vôtre. Que Mme de Seignelai est à plaindre, et qu'elle a perdu de choses à quoi elle s'étoit attachée, et dont elle n'avoit pas imaginé d'être jamais séparée ! Aussi n'est-elle pas consolable, à ce qu'on nous mande. Vous ne me direz 5 pas, du moins par une lettre, tout ce que vous avez pensé sur cette mort ; le public en dit assez. Je vous fais mes compliments sur ce que je viens d'apprendre que votre neveu est capitaine de dragons : j'y prends un véritable intérêt ; c'est un chemin pour être colonel ; et quand il 10 sera parvenu à ce degré, il sera plus à son aise. Adieu, mon cher cousin, jusques au revoir. J'échauffe mes chambres autant que je puis ; mais en sortant de Rome, tout vous paroîtra à la glace jusques à nos conversations, pour peu que vous en ayez eu avec M. et Mme de Nevers. Je suis 15 tout à vous, et vous embrasse. Tout ce qui est ici vous dit : *Ora pro nobis.* Ma mère vous écrit.

## 1451.—DE MADAME DE SEVIGNE A COULANGES.

A Grignan, *le 29ᵉ mars* [*1696*].

Toutes choses cessantes, je pleure et je jette les hauts cris de la mort de Blanchefort, cet aimable garçon, tout 20 parfait, qu'on donnoit pour exemple à tous nos jeunes gens. Une réputation toute faite, une valeur reconnue et digne de son nom, une humeur admirable pour lui (car la mauvaise humeur tourmente), bonne pour ses amis, bonne pour sa famille ; sensible à la tendresse de Madame sa mère, de 25 Madame sa grand'mère, les aimant, les honorant, connoissant leur mérite, prenant plaisir à leur faire sentir sa reconnoissance, et à les payer par là de l'excès de leur amitié ; un bon sens avec une jolie figure ; point enivré de sa jeunesse, comme le sont tous les jeunes gens, qui semblent 30 avoir le diable au corps ; et cet aimable garçon disparoît

en un moment, comme une fleur que le vent emporte, sans
guerre, sans occasion, sans mauvais air ! Mon cher cousin,
où peut-on trouver des paroles pour dire ce que l'on pense
de la douleur de ces deux mères, et pour leur faire entendre
5 ce que nous pensons ici ? Nous ne songeons pas à leur
écrire ; mais si dans quelque occasion vous trouvez le
moment de nommer ma fille et moi, et MM. de Grignan,
voilà nos sentiments sur cette perte irréparable. Mme de
Vins a tout perdu, je l'avoue ; mais quand le cœur a choisi
10 entre deux fils, on n'en voit plus qu'un. Je ne saurois
parler d'autre chose. Je fais la révérence à la sainte et
modeste sépulture de Mme de Guise, dont le renoncement
à celle des rois ses aïeux mérite une couronne éternelle.
Je trouve M. de Saint-Géran trop heureux, et vous aussi
15 d'avoir à consoler Madame sa femme : dites-lui pour nous
tout ce que vous trouverez à propos. Et pour Mme de
Miramion, cette mère de l'Église, ce sera une perte pu-
blique. Adieu, mon cher cousin, je ne saurois changer de
ton. Vous avez fait votre jubilé. Le charmant voyage de
20 Saint-Martin a suivi de près le sac et la cendre dont vous
me parliez. Les délices dont M. et Mme de Marsan
jouissent présentement, méritent bien que vous les voyiez
quelquefois, et que vous les mettiez dans votre hotte ; et
moi, je mérite d'être dans celle où vous mettez ceux qui
25 vous aiment ; mais je crains que vous n'ayez point de hotte
pour ces derniers.


1454.—DE MADAME DE GRIGNAN AU PRESIDENT DE
MOULCEAU.

*Le 28e avril 1696.*

Votre politesse ne doit point craindre, Monsieur, de renouveler ma douleur, en me parlant de la douloureuse perte
30 que j'ai faite. C'est un objet que mon esprit ne perd pas

de vue, et qu'il trouve si vivement gravé dans mon cœur,
que rien ne peut l'augmenter, ni le diminuer.   Je suis très-
persuadée, Monsieur, que vous ne sauriez avoir appris le
malheur épouvantable qui m'est arrivé, sans répandre des
larmes : la bonté de votre cœur m'en répond.   Vous perdez 5
une amie d'un mérite et d'une fidélité incomparables : rien
n'est plus digne de vos regrets ; et moi, Monsieur, que ne
perdé-je point ! quelles perfections ne réunissoit-elle point,
pour être à mon égard, par différents caractères, plus chère
et plus précieuse !   Une perte si complète et si irréparable 10
ne porte pas à chercher de consolation ailleurs que dans
l'amertume des larmes et des gémissements.   Je n'ai point
la force de lever les yeux assez haut pour trouver le lieu
d'où doit venir le secours ; je ne puis encore tourner mes
regards qu'autour de moi, et je n'y vois plus cette personne 15
qui m'a comblée de biens, qui n'a eu d'attention qu'à me
donner tous les jours de nouvelles marques de son tendre
attachement, avec l'agrément de la société.   Il est bien vrai,
Monsieur, il faut une force plus qu'humaine pour soutenir
une si cruelle séparation et tant de privation.   J'étois bien 20
loin d'y être préparée : la parfaite santé dont je la voyois
jouir, un an de maladie qui m'a mise cent fois en péril,
m'avoient ôté l'idée que l'ordre de la nature pût avoir lieu à
mon égard.   Je me flattois, je me flattois de ne jamais
souffrir un si grand mal ; je le souffre, et le sens dans 25
toute sa rigueur.   Je mérite votre pitié, Monsieur, et quelque
part dans l'honneur de votre amitié, si on la mérite par
une sincère estime et beaucoup de vénération pour votre
vertu.   Je n'ai point changé de sentiment pour vous depuis
que je vous connois, et je crois vous avoir dit plus d'une 30
fois qu'on ne peut vous honorer plus que je fais.

LA COMTESSE DE GRIGNAN.

1456.—DU COMTE DE GRIGNAN A POMPONE.

A Grignan, *le 7 mai 1696.*

Vous comprenez si bien, Monsieur, tout ce que l'on peut sentir dans la perte que nous venons de faire, et vous y entrez si sincèrement et pour vous et pour moi, que je me trouve obligé de joindre aux très-humbles remerciments que je dois à vos bontés, un compliment particulier sur votre douleur.    En vérité, Monsieur, toutes les personnes qui étoient attachées à Mme de Sévigné par les liens du sang et de l'amitié sont bien à plaindre, et surtout celles qui ont pu connoître dans les dernières journées de sa vie toute l'étendue de son mérite et de sa solide vertu.    J'aurai l'honneur quelque jour de vous conter des détails sur cela, qui attireront votre admiration.

Faites-moi la grâce d'être toujours bien persuadé, Monsieur, de mon parfait attachement pour vous, et du véritable respect avec lequel je suis votre très-humble et très-obéissant serviteur,

GRIGNAN.

# NOTES.

---

**Ménage** (G. de, 1613–1692) was the tutor and lifelong friend of Mme de Sévigné; her instructor in Latin, Spanish, and Italian; a grammarian of great distinction, supposed to be ridiculed by Molière in his *Femmes Savantes*, under the name of Vadius. He was a literary ecclesiastic who compiled an Etymological Dictionary of the French language, etc. The letter is undated, though probably written in 1644, fifty-two years before her last letter.

**1 4. Vaudroit:** the *o*is, etc., spelling of the conditional and imperfect was prevalent to the time of Voltaire (18th century), who suggested the change to *ais*, etc., in order to make the spelling conform to the pronunciation. Relics of the older spelling are found in English reconn*o*itre, etc.

**1 19. Petites Maisons:** a Paris mad-house; alluded to also by La Fontaine, Fable V., Boileau, Sat. IV., etc.

**2 6. Devant que de:** 17th century French for *avant de.*

## Château of Les Rochers.

Mme de Sévigné passed a great part of her time on her estates in Burgundy and Brittany, at Livry near Paris, and at her daughter's château in Provence. The best-known of these residences, and the one from which most of her letters from the country are dated, is the old-fashioned château des Rochers near Vitré, almost unchanged since Mme de Sévigné inhabited it. " C'est un bâtiment composé de deux corps de logis en équerre qui s'appuient sur une tour centrale du XVe siècle. L'aspect en est simple et noble; point d'ornement inutile; la tour seule, avec son toit élégant, ses clochetons et ses tourelles, a une assez fière tournure." — G. Boissier : *Mme de Sévigné*, p. 146. Here, amid the parterres and parks, surrounded by orange trees, jasmine, old-fashioned box hedges, and tranquil landscapes, she passed her time reading and writing, embroidering, walking, entertaining friends and visitors, and — economizing, with a view to paying the enormous debts of her son-in-law Grignan.

**2 6.** Mme de Sévigné sometimes signed " Chantal," sometimes " M. de Rabutin (or Rabustin) Chantal," even after her marriage.

**2 10. ce 1er d'octobre:** *ce* is not usual now in dates except in commercial style.

**2** 12. **Coadjuteur** was a title of Cardinal de Retz (referred to here), who had been made cardinal in 1650 and archbishop of Paris in 1654. Falling into disfavor, he had been imprisoned but had just escaped from prison.

**2** 14. The **Duc de la Meilleraye** was marshal of France in 1639, lieutenant-general of Brittany, and chief of artillery; died in 1664.

**2** 30. **Hugues de Rabutin** (1588–1656): an excellent man of brusque manners.

**3** 6. **Christophe de Coulanges :** Abbé of Livry.

**3** 15. **Ménage,** who fell in love with Mme de Sévigné, had said that a certain letter of hers was "worth 10,000 crowns."

**3** 17. The **Abbé Girault** was Ménage's secretary, and editor of his *Miscellanies.*

**3** 18. **Duc de Luyn,** son of the Constable, and translator of Descartes' *Méditations,* lived to 1690. He proposed marriage to Mme de Sévigné in 1685.

**3** 19. "**Bussy–Rabutin,** cousin of Madame de Sévigné, and one of the boldest, most unscrupulous, and most unlucky aspirants after fortune, has left a considerable number of letters and memoirs in which he expresses his own projects and wrongs, and, above all, a scandalous chronicle called the *Histoire Amoureuse des Gaules,* in which gossip against all the ladies of the court, not excepting his own relations and friends, is pitilessly recorded. Bussy had many of the family qualities which show themselves more amiably in the cousin [Mme de Sévigné] whom he libelled." — G. Saintsbury, p. 317. He afterwards made amends for the libel by penning an admirable *portrait* of her for a family genealogy. The M. de Sévigné referred to in the preceding letter was her husband (Henri Marquis de Sévigné) and was killed in a duel while still a young man, 1651. Mme de Sévigné's father was also killed in 1627.

**4** 12. **Mme de Châtillon,** sister of Marshal de Luxembourg, was the widow of Gaspard de Coligny, Duc de Châtillon, then wife of the Duc de Mecklenbourg, a leading character in the *Histoire Amoureuse des Gaules.* The allusion is to Cardinal Mazarin's order that Mme de Châtillon should be shut up in the Abbé Foucquet's house. This Foucquet was a private agent of Mazarin and brother of the financier ; died in 1680.

**4** 14. The **Duchesse de Roquelaure's** full name was Charlotte Marie de Daillon du Lude. She died in 1657; the *inamorata* of the Duc d'Anjou.

**4** 18. **Mme de Fiennes** married Comte des Chapelles, but did not take his name.

**4** 20. The queen was Anne of Austria (1602–1666).

**4 21.** This **prince d'Harcourt** was Charles de Lorraine.

**4 21.** The **Duc de la Feuillade,** Viscount d'Aubusson, peer and Marshal of France, died in 1691.

**4 22. Nicolas-Jeannin de Castille,** treasurer of Spain.

**4 23.** Count Hamilton wrote the *Memoirs* of this Count de Gramont, who died in 1707, after serving under Condé and Turenne.

**4 30.** The **Louvre** was then the official residence of the French court. It was afterwards united with the Tuileries and is now a magnificent museum of art and antiquities.

**4 31.** Mesnard remarks that an *académiste* was a young man of family who attended a fencing or riding *académie*.

**4 32. Campos :** holiday.

**5 4. M. de Pompone,** to whom Mme de Sévigné addressed so many letters, was the son of Arnauld d'Andilly and nephew of the famous Jansenist, Antoine Arnauld. The Arnaulds were connected with the great school of Port Royal where Racine, Nicole, and Pascal often lived and labored. "The society was early imbued with Jansenist principles, which brought it into violent conflict with the Jesuits, and eventually led to its persecution and destruction." — Saintsbury. Pascal's *Lettres Provinciales* were one product of this controversy.

**5 5. N. Foucquet** (1615–1680), the famous superintendent of finances, solicitor general, and agent of Cardinal Mazarin in the War of the Fronde, was a great friend and admirer of Mme de Sévigné, and his trial for malversation in office, so graphically described by the letter, is one of the most celebrated in French history.

**5 6.** être sur la sellette : = *to be cross-examined.*

**5 7.** The chancellor who conducted the trial was Pierre Seguier (1588–1672), odious on account of his connection with the trial of de Thou.

**5 13. compagnies souveraines :** "tribunals against whose decisions there was no appeal." — Masson.

**6 3.** Any kind of tax ; later, salt tax only.

**6 3. Foucquet** was accused of receiving a pension of 120,000 livres from the farmers of the salt-tax impost.

**6 7.** The sister was Marie-Angélique de Sainte-Thérèse Arnauld d'Andilly, who had been sent with her aunt, Mother Agnès, to the Convent of the Daughters of the Visitation, in the Faubourg Saint Jacques. The sister had just signed the deed condemning as heretical the five "propositions" of Jansenius.

**6 12. Gigeri** was a fortified place in Algiers from which the French under the Duke de Beaufort and General Gadagne were driven in 1664.

**6 18.** N. Pavillon (1597–1677) was bishop of Aleth, a devout Jansenist

**Père Annat** (1607–1670) was opposed to him, a Jesuit and confessor of the king (Louis XIV.).

6 27.  The **octroi** duties were laid upon goods intended for town consumption and were once employed in paying municipal expenses.

6 31.  The **rapporteur** was the upright O. le F. d'Ormesson (1616–1686).

7 4.  **sur quoi:** for more modern *sur lequel*, when a definite antecedent is referred to.

7 9.  **emplâtre:** a remedy sent to the queen by Mme Foucquet through her daughter, Marie Foucquet, Duchesse de Charost, which cured her of a dangerous illness.

7 13.  **T***: = d'Ormesson.

7 16.  The **Arsenal**, Foucquet's place of confinement, is now a fine public library.

7 17.  Ladies then often wore masques, called *loups*, in the Italian fashion.

7 18.  **D'Artagnan** was a captain of musketeers.

7 32.  **J'ai été voir:** a common use of *être* as a verb of motion, followed by an infinitive without preposition. — The *voisine* was Mme du Plessis-Guénégaud, intimate with Mme de Sévigné and known as "Amalthée" in Mlle de Scudéry's romance of *La Clélie*.

7 34.  **Sapho** was the "fancy" name of Mlle de Scudéry (1627–1701), who wrote *Le Grand Cyrus* and other celebrated works, the most famous "bluestocking" of her time.  See Crane's *Société Française au XVIIᵉ Siècle*.

8 8.  The **Bastille** at Paris was a strong fortress used as a state prison, built by order of Charles V., between 1370 and 1383.  The prisoners were often noblemen, authors (such as Voltaire), savants, priests, and publishers. It was destroyed by an infuriated mob July 14, 1789 (the national holiday of France), and some of the keys to the dungeons were presented by Lafayette to Washington and now hang at Mt. Vernon.

8 8.  **J. Foucaut** was the clerk who read the sentence to Foucquet.

8 16.  **Jean Pecquet** was a celebrated anatomist, member of the Academy of Sciences, physician to Foucquet and to Mme de Sévigné.

8 16.  **Lavalée** was Foucquet's valet.

9 4.  **Pignerol** was a fortified state prison in Sardinia, said to have been one of the places where the "man in the iron mask" was imprisoned. The identity of this man has never been settled.

9 5.  **Saint-Mars** was *maréchal des logis* to the musketeers, and died governor of the Bastille in 1708.

9 14.  Marie Elisabeth Foucquet was abbess of the Parc-aux-Dames, near Senlis.

**9 15.** This **écuyer** was G. Foucquet, the superintendent's brother and equerry to the king.

**9 17.** Marie Foucquet, Duchesse de Charost, was Foucquet's daughter. Ancenis was a village near Nantes.

**9 18.** **Gisancourt** was one of Foucquet's judges.

**9 19.** **Avant** is now used for time, **devant** for space.

**9 21.** **Chamillard** was master of petitions and intendant of Caen. Chamillard's son was controller-general of finances towards the end of Louis XIV.'s reign.

**9 21.** **Henri Pussort,** an opponent of Foucquet, was maternal uncle of Colbert, the financier.

**9 23.** The quotation is from Vergil's *Æneid,* I. 11 : "Such wrath in souls celestial!"

**9 34.** The **baisemain** was a form of salutation which grew out of the feudal custom of the vassal kissing his lord's hand in acknowledgment of vassalage, still common in the Spanish phrase "I kiss your hands" (*le beso á usted las manos*). In this famous letter Mme de Sévigné writes with all the power of offended genius and family affection to a disloyal relative who had cruelly satirized some of her personal peculiarities.

**10 12.** **foiblesse :** now *faiblesse ;* cf. English *foible,* from old French spelling of the adjective.

**10 13.** **Mme de Bouillon** (Marie-Anne Mancini) was wife of the Duke de Bouillon, nephew of Turenne, brother of the cardinal.

**10 15.** The **disgraciés** referred to were probably Foucquet and Cardinal de Retz.

**10 24.** **De Chalon** (J. de Neuchèse) was Mme de Sévigné's great-uncle and bishop of Chalon.

**10 28.** **Neuchèse** was the bishop's heir.

**11 4.** **une dame,** etc. : Mme de Montglas, Bussy-Rabutin's mistress.

**11 15.** **Mme de la Baume,** *née* Catherine de Bonne, comtesse de Tallart, niece of the first Marshal de Villeroi, was one of B. Rabutin's former ladyloves.

**11 19.** **de sourire :** the so-called historical (or independent) infinitive = imperfect.

**11 24.** **bigarrés :** allusion to a passage in B. Rabutin's *Histoire Amoureuse des Gaules* in which Mme de Sévigné's eyes are laughingly called *paupières bigarrées.*

**11 29.** **enchâssé :** *well framed.* It was the fad of the day to "paint" literary portraits of people ; witness La Bruyère's celebrated *Caractères.*

**12 2.** The **Palais-Royal** was originally the Palais Cardinal, built in 1629-1636 for Richelieu by the famous architect Lemercier and presented to the king by the cardinal.   Cf. Cardinal Wolsey and Henry VIII. in relation to Hampton Court.

12 7.   **amour :** of either gender in the 17th century.

12 12.   **innocente :** *an innocent* = a fool.

12 31.   Germaine Louise d'Ancienville, Marchioness d'Époisse.

13 1.   Note **ait tort,** corrected in the Aimé-Martin edition to *aie tort.*

13 7.   **de croire :** an unusual inversion for *vous auriez tort de croire*, etc.

13 9.   **verbaliser :** = *chatter.*

13 20.   **placet :** *petition ;* a Latin legal term, as in English one says a *caveat*, etc.

13 26.   **Rabutinage :** family relationship; Mme de Sévigné's maiden name was Marie de Rabutin. — Bussy-Rabutin afterwards made the *amende honorable* to the memory of his cousin in the *portrait* of Mme de Sévigné which he left in MS. and in the following epitaph which he wrote beneath one of her pictures :

> " Marie de Rabutin,
> Marquise de Sévigné,
> Fille du Baron de Chantal,
> Femme d'un génie extraordinaire
> Et d'une solide Vertu,
> Compatibles avec beaucoup d'agréments."

13 28.   These three marshals were Créquy, Bellefonds, and Humières, cousin of Bussy. — Mme de Villars was Bellefonds' aunt and mother of Villars, marshal of France in 1702.

13 32.   The **fille** alluded to was her own daughter, Mlle de Sévigné, afterwards Mme de Grignan.

14 15.   Charles de Ste.-Maure became Baron de Montausier in 1635, governor of Normandy in 1663, duke in 1664.   In 1645 he married the famous " bluestocking " Julie d'Angennes, to whom he addressed the magnificent volume entitled *La Guirlande de Julie.*   She was the sister of the first wife of Comte de Grignan.

14 16.   **Dauphin** was the title given, from the times of Philip of Valois, to the eldest son of the kings of France after the union of Dauphiny with the crown, the last lord of Dauphiny, Humbert III., in 1343, having ceded his seignory on condition that the title " Dauphin " should be borne by the heir to the throne. — The well-known " Dauphin " or " Delphini " editions of the classics were made by order of Louis XIV. for his son the Dauphin (called the " Grand Dauphin ") whose teacher was Bossuet.

14 17.   Alteration of a well-known line from Corneille's *Cinna*, V. 3, which reads thus : " Je t'en avois comblé, je t'en veux accabler " (the *en* referring to *bienfaits*).

**14 25.** This letter is the famous one containing the announcement of Mlle de Sévigné's engagement to Count de Grignan, to which (after the marriage) we owe this celebrated series of letters, rightfully placing Mme de Sévigné among the *Grands Écrivains* of France (edited in fourteen octavo vols. by MM. Monmerqué and Mesnard : Hachette, 1862).

**15 9.** **Count de Grignan** (François Adhémar), lieutenant-general of Provence, was born in 1629 and died about 1714, having been twice married before marrying Mlle de Sévigné. His other wives were Angélique Clarice d'Angennes and Angélique du Puy du Fou.

**15 19.** The archbishop died in 1669, eighty-six years of age. His brother succeeded him as bishop of St. Paul Trois Châteaux and became count-bishop of Uzès, dying in 1674.

**15 26.** **article sur quoi :** at present, *sur lequel.*

**15 30.** Through the Vassé connection Mme de Sévigné was related to Cardinal de Retz. — The letter enumerates many names remarkable in French history, — Montmorency, Rohan, Du Bellay, Du Guesclin, etc.

**16 25.** The lords of **Commerci** (says St. Simon, *Mém.* 178, 122) were called *damoiseau,* a title given under the feudal system to noblemen not yet knights. In 1639 Cardinal de Retz (who writes this letter) had become *damoiseau* by the death of a maternal aunt. He had retired to Commerci in 1662.

**16 26.** This lady was a Montmorency who first married Gaspard de Coligny and then the Duke of Meckelbourg (Mecklenburg), better known as the Duchesse de Châtillon, celebrated for her gallantries (see *Hist. Amoureuse des Gaules*).

**16 27.** **Maréchal d'Albret** was brother of the Chevalier d'Albret who killed Mme de Sévigné's husband in a duel.

**17 7.** **conclusion :** reference to the final arrangements for the marriage of Mlle de Sévigné to Comte de Grignan.

**17 17.** **dataire :** the *dataire* or *prodataire* was the highest official of the Roman Catholic ecclesiastical courts, through whose hands all vacant benefices, except the consistorial, pass ; so called because it was his business to mark the dates of petitions.

**17 18.** **Daterie :** the Roman chancelry.

**17 29.** **ordinaire :** the first regular, or ordinary post-messenger.

**18 4.** De Grignan was lieutenant-general of Provence and was constantly travelling on official business.

**18 5.** In her letter of June, 1672, Mme de Sévigné had said that the musician Camus esteemed de Grignan's voice and musical culture very highly.

**18 18.** **La Rochefoucauld,** born in 1613, dead in 1680, was perhaps after Pascal the most famous of the epigram writers of the 17th century, author of the *Maxims*, general in the War of the Fronde, and a pronounced pessimist.

**18 19.   son fils :** the Prince de Marsillac (1634–1714).

**18 20.   Mme de La Fayette** (a cousin and intimate friend of Mme de Sévigné) enjoys the distinction of having written the first real novel — *La Princesse de Clèves* — in the French language.   It revolutionized novel writing in France.   She was born 1634, died 1693.   See Ginn & Company's excellent edition by Professors Sledd and Gorrell.

**18 21.**   The *tante* was the Marchioness de Trousse.   Mme de Sévigné constantly calls the Abbé of Livry (C. de Coulanges, 1607–1687) *mon abbé, le bon abbé, le bien bon*, etc.

**18 25.**   The king commuted Valcroissant's punishment, and the latter afterwards showed his gratitude by assisting de Grignan's son. — The galleys ceased to be used in 1748 and the galley slaves were thereafter employed on fortifications, harbors, etc.

**19 5.**   This is the Brancas, Marquis de Monbec, etc., *chevalier d'honneur* to Anne of Austria, whose extraordinary absent-mindedness caused him to be satirized by La Bruyère under the name of " Ménalque " in the *Caractères*.   He was greatly instrumental in bringing about the Grignan-Sévigné marriage.

**19 12.**   A portion of letter 112 has been omitted.

**20 19.   Mme de Rochefort,** *née* Madeline de Laval Bois-Dauphin, was wife of the Marquis de Rochefort, marshal of France in 1675, and became lady-in-waiting to the queen in 1673.

**20 21.   la mère,** Marie Séguier, Marquise de Coislin, etc.   (The name *Séguier* is now spelled *Séguier*, now *Seguier*.)

**20 26.**   The **Pont-Neuf** was built by Henri IV. and was famous for its open-air singers and buffoons who stationed themselves on the bridge and performed ;  still in existence.

**20 26.   Quasi** was much used down to the eighteenth century ; = *presque.*

**21 3.   Coadjuteur :** = Adhémar de M. de Grignan, brother of Comte de Grignan, archbishop of Claudiopolis, coadjutor of his uncle, who was archbishop of Arles, and himself archbishop of Arles in 1689 ; often nicknamed " Seigneur Corbeau " (Lord Raven) in these letters on account of his dark complexion.

**21 4.**   Marie A. H. de Lorraine, sister of the Prince d'Harcourt, married the Portuguese Duke de Cadaval in 1671.   Her mother was the de Grignans' aunt.

**21 5.**   Hugues de Lionne, from 1661 foreign secretary of state, was the Duke de Cadaval's agent in arranging the d'Harcourt marriage.

**22 5. Sainte-Marie** was the convent of the Visitation in the faubourg St. Jacques, founded in 1626; now belonging to the Ladies of St. Michel.

**22 14. Mme de La Fayette** lived in the Rue de Vaugirard, opposite the Petit Luxembourg.

**22 20. Merlusine,** nickname given by Mme de Sévigné and her daughter to the Comtesse de Marans; derived from the spiteful fairy *Merlusine* or *Mellusine* of the old French romances. The countess, it seems, had spoken evil of Mme de Grignan.

**22 21.** The Abbé **D'Hacqueville** was a privy counsellor, friend of Cardinal de Retz and of the Sévignés; died 1678.

**22 30-31.** These were the Great and the Little Arsenal, united by a handsome garden apparently used as a public promenade. — The Marquise de Troche was Marie Godde (Gode) de Varennes.

**23 7.** The **Marquise de Lavardin** (died 1694) was a de Rostaing.

**23 27. Mlle d'Houdancourt** married the Duc de Ventadour, a nobleman proverbial for his ugliness; governess of Louis XV.

**23 29.** Bishop of Lodève and then of Viviers.

**23 30.** Banished to Châteauroux for many years, the Princesse de Condé died there in 1694. She was a niece of Cardinal de Richelieu.

**23 33. d'Estampes** was president of the Grand Council, privy counsellor, ambassador to Holland, etc.; died 1671.

**23 33. Mme de Mazarin** was Hortense Mancini, niece of Cardinal Mazarin, and wife of Armand-Charles, son of Marshal de la Meilleraye, who had taken the name of Mazarin. She was born at Rome in 1646 and died in England in 1699. Her extravagance and his devotion are graphically described by St. Simon, Vol. X., p. 277, *seq.*

**24 2. Lys,** a former Cistercian abbey near Dijon, belonging to the order of St. Bernard.

**24 7.** This lady was the beautiful Mlle Bonne de Pons, a relative of Marshal d'Albret, who had married the Marquis d'Heudicourt, *grand louvetier* (wolf hunter) of France, and became a favorite of Mme de Maintenon. St. Simon called her Mme de Maintenon's "evil angel," as witty as she was "desperately mean."

**24 8. de Béthune** was envoy to Poland after Sobieski's election, married the sister of Sobieski's wife, and died envoy to Sweden in 1692.

**24 9. Mme Scarron,** born Françoise d'Aubigné, widow of the celebrated comic writer, P. Scarron, after 1660, became in 1669 governess of the children of Mme de Montespan and Louis XIV. and was later secretly married to the king. She purchased the marquisate of Maintenon.

**24 13.** The Richelieu and d'Albret palaces, often spoken of in these letters, were near the Sévigné house in the Marais, where Mme Scarron-Maintenon often came to sup ; then a fashionable part of Paris.

25 12.   **Mlle de Raymond** was a famous and lovely singer who afterwards became a nun.

25 12.   The **Comtesse de Lude** (*née* de Bouillé), wife of the Comte and Duc de Lude, grand master of artillery.

25 13.   The **récit du ballet** referred to seems to have been the famous *Psyché* written by Molière, Corneille, and Quinault, with music by Lulli, performed January 17th at the Tuileries.

25 14.   **Mme de Villars'** husband was ambassador to Spain.

25 25.   **Jules Mascaron,** the distinguished preacher, was born at Marseilles in 1634, became bishop of Tulle and Agen, and died in 1702.   This year (1671) he was conducting Lenten services in Mme de Sévigné's parish, St. Gervais.   He was an Oratorian.   Louis Bourdaloue (1632–1704) was then preaching at Notre Dame, the cathedral, and was with Bossuet, Fénelon, and Massillon, one of a quartette of celebrated seventeenth-century preachers.   He was a Jesuit.

25 30.   **le marquis** (de Grignan), as yet unborn.

26 2.   The **grand homme** was Louis XIV. and the lady probably Mme de Montespan.

26 7.   **Voiture** (1598–1648), a famous writer of *vers de société* and of letters.   "This admirable writer of prose and of verse published absolutely nothing during his lifetime, though his work was in private the delight of the salons." — Saintsbury, p. 249.   The king, at the time, was hesitating between de Montespan and de la Vallière.

26 17.   The tomb-mausoleum of Henri II., Duc de Montmorency, Marshal of France, beheaded in 1632, erected at Moulins by his widow.

26 18.   Mme de Grignan had met the Marquise de Valençay and her daughters praying at the tomb of Montmorency.   The latter were nieces of Montmorency.

26 22.   **Langlade** was a great friend of La Rochefoucauld and of Mmes de Sévigné and de La Fayette, secretary of the Duc de Bouillon (whose *Mémoires* he is said to have composed) ; originally a *Frondeur*, then an agent of Mazarin ; died 1680.

26 34.   Mme de Sévigné uses *il m'ennuie* in its original impersonal form = *je m'ennuie*.

27 10–12.   **Rouane** and **Arles** are small towns in the south of France, the latter famous for its Roman ruins.

27 12.   The **Pont** : Saint-Esprit.

27 17.   **Dragon** : = anxiety, care ; was much used in the seventeenth century, now obsolete.

27 29. The **Dauphin** was born in November, 1661, and was therefore about nine years old.

27 30. **Mme de la Vallière**, *née* Louise-Françoise de la Baume Le Blanc, 1644, was at first maid of honor to Madame Henriette, became Duchesse de la Vallière in 1667, was succeeded by Mme de Montespan in the king's favor, and died a Carmelite nun in 1710. — Mme de Montespan was in favor in 1668, and had two children by Louis XIV., one of whom was the Duc de Maine.

28 1. **ordinaire :** post.

28 3. Charlotte Séguier, Duchesse de Sully, was the daughter of Chancellor Séguier and wife of Henri de Bourbon, son of Henri IV. and the marquise de Verneuil.

28 3. **Mme d' Arpajon** was the third wife of the Duc d'Arpajon and lady of honor to the Dauphiness; died 1701.

28 4. **Mme de St. Géran** was the wife of Count de Saint Géran and lady-in-waiting to the queen.

28 4. **M. de Guitaut**, Marquis d'Epoisse, was an intimate friend of the Sévignés.

28 7. The Countess-dowager de Vauvineaux, often called "La Vauvinette" in the letters, was Mlle Aubry ; died 1705.

28 9. **à l'âtre :** = *au foyer.*

28 15. **Mme de Janson**, sister-in-law of the bishop of Marseilles, was Geneviève de Briançon, who married the Marquis de Janson in 1651. — Another letter speaks of a M. le Blanc, who owned the house inhabited by Comte de Guitaut.

28 19. The first part of this letter is omitted. The Rhône is famous for its swiftness and its destructive inundations. Avignon was called by Rabelais *la ville sonnante*, the "city of bells," on account of its numerous churches ; the popes resided there for a time, and the great papal palace is still to be seen. Here Petrarch first saw Laura in the church of St. Clara, and here she was buried in the church of the Cordeliers (demolished in 1791). The bridge of Avignon is celebrated in French poetry. John Stuart Mill died at Avignon in 1873.

29 21. **la montagne de Tarare**, formerly almost impassable, lies on the highway from Roanne to Lyons.

30 4. Avignon and its county were governed by a papal vice-legate.

30 10. **Saint-Germain**, thirteen miles from Paris, was the most famous residence of the French kings until the court moved to Versailles. Louis XIII. and XIV. were born in the historic royal castle, now a museum.

30 14. The queen was Maria Theresa, Infanta of Spain, through whom Louis claimed the Netherlands, etc. In 1685 the king privately married **Mme de Maintenon.**

**30 26.** Mlle de la Mothe Houdancourt, a great beauty, had married the humpbacked debauchee Duc de Ventadour, and had the right to sit on the *tabouret* in the presence of the king and queen.

**30 28. le grand maître** (of artillery) was the Duc de Lude.

**31 7.** The Marquis de Bellefonds was first *maître d'hôtel* to the king, and became marshal of France, first equerry to the Dauphiness, etc. ; celebrated for his debts and his frequent visits to the monastery of La Trappe.

**31 8.** The Duc and Duchesse de Duras. The former succeeded Turenne as marshal of France, was lieutenant-general under Condé, and commanded the French army in Flanders in 1671.

**31 9.** The Ducs de Charost, father and son, were Béthunes by birth, and the latter was Foucquet's son-in-law. — The Duc de Salles (C. Montausier) was tutor to the Dauphin. His wife, the famous " bluestocking," Julie-Lucie d'Angennes, was sister of the Comte de Grignan's first wife and first maid of honor to the queen. The letters abound in mention of them.

**31 9. Tutti quanti** (Italian), *everybody*. Italian had been fashionable at the court of France since the time of Francis I. and Catherine de Médicis. Mme de Sévigné quotes it constantly.

**31 11.** The celebrated French preacher J. B. Bossuet (1627–1704) was bishop of Condom, then of Meaux; distinguished as funeral orator, controversialist, historian; tutor to the Dauphin; nicknamed "the Eagle of Meaux." "On his appointment to the see of Condom, he struck out a new line, that of funeral discourses (*Oraisons Funèbres*), and produced, on the occasions of the death of the two Henriettas of England, mother and daughter, of the great Condé, of the Princess Palatine,. and of others, works which are undoubtedly triumphs of French eloquence." — Saintsbury, p. 353.

**31 11.** This **Mademoiselle** is apparently Marie-Louise d'Orléans, *la petite Mademoiselle* (as distinguished from *la grande Mademoiselle* de Montpensier, who was engaged to marry Lauzun, and originated one of Mme de Sévigné's most famous letters), first wife of Charles II. of Spain, daughter of Monsieur and of Madame Henriette of England, first cousin of the Dauphin. *Monsieur* was the title of Philippe, Duc d'Orléans, brother of the king, and *Monseigneur* of the Dauphin.

**31 12. Jean Renaud de Segrais** was gentleman in ordinary to Mademoiselle, a collector of songs, and great friend of the Sévignés.

**31 15.** In the *Adventures of Don Quixote* (then just translated into French from the Spanish by C. Oudin) *Micomicon* is the name of the kingdom to which the unfortunate Princess Micomica (Dorothea) is heiress, and which the giant Pandafilando has wrested from her.

**31 15.** The **Comtesse de Ludres** (with whom Charles de Sévigné was in love) was in turn maid of honor to Mme Henriette, the queen, and the second Duchesse d'Orléans, a favorite of Louis XIV., finally canoness of the abbey of Poussay; died in 1726.

31 22. Mme de Ludres, having been bitten by a supposed mad dog, plunged thrice into the sea, which was a popular cure for hydrophobia.

31 25. **Hurlubrelu** (properly, *hurluberlu*, *Littré*: English, "hurly-burly"; supposed to be Scotch or Scandinavian. — *Century Dictionary*), a method of dressing or puffing the hair in confused tiers of ringlets. "On portoit sur le front de petites boucles, de grosses aux deux côtés du visage, et tout autour de la tête un gros bourrelet de cheveux cordonné avec des rubans ou des perles, qui en avoit."

31 26. **La Choiseul,** probably the Comtesse de, wife of Choiseul, marshal of France.

31 27. **Ninon de l'Enclos,** born in 1616, died in 1706, perhaps after Aspasia the most famous literary courtesan that ever lived. Molière, La Rochefoucauld, and Scarron consulted her about their writings; the young Marquis de Sévigné, La Rochefoucauld, Marshal d'Albret, the great Condé, etc., were among her lovers, and such were her wit and beauty that her salon became a school of manners and culture in the *grand siècle*, numbering Voltaire among its pupils.

31 27. **Un printemps d'hôtellerie:** a spring scene in a country inn, where it was fashionable to paint pictures of the seasons on the ceilings, etc.

31 32. This **M. de Saint-Germain** was a debauchee and friend of St. Pavin, whose father was lord of Livry.

32 10. **Comédienne:** Anne Desmares (1644–1698) wife of the Sieur de Champmeslé; famous for her success in acting Racine's *Bérénice*.

32 11. The famous critic, satirist, and poet Boileau (Nicolas Despréaux, 1636–1711), "tender in prose, cruel in verse," is often mentioned and quoted in the letters; author of *Art Poétique, Le Lutrin, Satires et Épîtres*, etc., historiographer to the king, rival of La Fontaine for a *fauteuil* in the Academy, imitator of Horace, imitated by Pope.

32 12. **Jean Racine** (1639–1699): the great dramatic writer, author of *Phèdre, Andromaque, Esther, Athalie*, rival of Corneille and Molière, called "the tender" on account of his overflowing sentiment and harmonious verse; often mentioned and quoted by Mme de Sévigné, who ranks Corneille higher.

32 29. The *grand Bourdaloue* (1632–1704), as Mme de Sévigné calls him, was then conducting the Passion Week services and divides with Bossuet, Fénelon, and Massillon the honor of being among the greatest preachers of the seventeenth century. The beauty, eloquence, and daring of his sermons are repeatedly eulogized in the letters.

**33 2. Abbé de Montmor,** Louis Habert, became bishop of Perpignan, and was son of the Seigneur de Montmor. His brother was intendant of the galleys in the Marseilles department.

**33 9. Monsieur d'Agen,** Claude Joly, whom Mascaron succeeded in 1679.

**33 14.** Probably Nicolas le Camus, attorney-general, in 1672 first president of the Court of Succor.

**34 8.** A part of this letter is omitted. — The château of Chantilly first belonged to the Montmorencys, then, from 1632, to the Condés, and finally to the family of the Duc d'Aumale, who bequeathed it recently to the French nation. Extraordinary preparations for the reception of Louis XIV. there were made on this occasion. — " To stalk a deer " was *courre* (not *courir*) *un cerf*.

**34 16. Vatel** (written also *Watel* in memoirs of the time) was controller of the Prince de Condé's household (*Monsieur le Prince,* below). Employed as a skilled purveyor by Colbert when the king received Christina, queen of Sweden, etc.

**34 21. marée :** here = *sea fish.*

**34 30.** Probably J. J. Charron de Menars, brother of Mme Colbert, counsellor to parliament, etc. Died 1718, much liked for his probity. — Mlle de la Grange Neuville was daughter of Charles de la G. Neuville, master of petitions.

**35 4. Moreuil,** Alphonse de, seigneur of Lismer, first gentleman-in-waiting to the Prince de Condé (addressed as *Monseigneur* below).

**35 13. Jean Hérault de Gourville** was, first, valet to the Duc de la Rochefoucauld, then Condé's *factotum,* finally counsellor of state, author of *Mémoires,* etc.

**35 16.** Gourville relates that this *fête* cost Condé 180,000 livres. There were four principal tables for the king and his suite and fifty-six other tables, all magnificently served. — The Prince de Condé was Louis II. de Bourbon (1620–1680), at first Duc d'Enghien, surnamed *le grand Condé,* ordinarily addressed as *Monsieur le Prince,* one of the great generals of the seventeenth century. Bossuet pronounced his funeral oration. — His son, the Duc d'Enghien, is addressed below (l. 12) as *Monsieur le Duc.* The letters abound in references to him and to his great father, their wives, etc.

**36 21. en user ainsi :** = *to act thus.*

**36 27. Liancourt** was the beautiful palace of Jeanne de Schomberg, Duchesse de Brissac and de Liancourt, a few leagues from Chantilly. — *Medianoche (midnight)* was a Spanish term for a meat supper after midnight when an ordinary meat-eating day followed a *jour maigre,* or fast day.

**36 29. jeter le bonnet par-dessus le moulin :** = *and so ends the tale* (*I toss my cap over the mill* = *I don't know what else to say*, in ending a story to children).

**37 2. aux Rochers :** see Introductory Note.

**38 1. Vaillant** was Mme de Sévigné's agent.

**38 12. Mlle du Plessis** lived at the château of d'Argentré, half a league from les Rochers.

**38 13. Vitré,** so often mentioned in the letters, is one mile south of Les Rochers, in the department of Ille-et-Vilaine, noted at that time for its unhealthiness.

**38 14.** The **bel esprit** was the literary, romance-reading fashionable of the time, as revealed in Mlle de Scudéry's novels, Molière's *Précieuses Ridicules*, *Les Femmes Savantes*, etc.

**38 15. la Princesse de Tarente** (1625–1693) was the daughter of the Landgrave of Hesse-Cassel and aunt of the then queen of Denmark.

**38 19. Jean-Baptiste Poquelin** (1622–1673) assumed the name of Molière. At first a player, then writer of celebrated comedies, such as *Tartufe*, *Le Misanthrope*, *Les Précieuses Ridicules*, *Les Femmes Savantes*, *Georges Dandin*, *L'Avare*, etc.; perhaps after Aristophanes the most famous comedy writer that has ever lived. Died suddenly while playing the principal *rôle* in his own *Malade Imaginaire*. Mme de Sévigné admires and quotes him constantly.

**38 24. Pilois** was the gardener.

**38 25. jusques** (for *jusqu'*) is usual with *s* in poetry where an additional syllable is wanted.

**38 29.** The campaign in Candia (Crete) was under command of the Duc de Roannès.

**38 30. vago di fama :** Italian, *athirst for fame.*

**38 32. bella cosa far niente :** Italian, same as *dolce far niente*, *pleasant to do nothing.*

**39 4.** The **Abbé Pierre de la Mousse,** prior of La Groslé, probably natural son of François du Gué, father of Mme de Coulanges, was an intimate friend of the Sévigné-Grignan circle, read Italian with Mme de Sévigné, etc.

**39 9. Jean de la Fontaine** (1631–1697) appears continually in reference and quotation in the letters; the most celebrated fable writer of France, perhaps of the world. Mme de Sévigné calls the *Fables* "divine."

**40 7. M. de Coëtquen** was father of the Marquis de Coëtquen, governor of St. Malo. One branch of the family was allied to the Sévignés.

**40 9.** A **pistole** was then worth about ten francs.

**40 16.** This was the famous Corpus Christi procession of Aix, probably instituted by René, Count of Provence in the fifteenth century.

**40 21.** These **bohêmes** were strolling players wandering about from town to town, dancing, acting, telling fortunes, etc., supposed to come from "Bohemia."

**40 28.** The **Marquis de Pomenars** was often engaged in criminal lawsuits and saw himself, later, hung in effigy; he uttered counterfeit money, was abducted, etc., and jokingly remarked that he did not shave because he did not know to whom his head belonged.

**41 15 and 22.** The Coadjutor and his nickname, Seigneur Corbeau, are referred to in a previous note.

**41 17. Des mieux,** etc.: $=$ *écrit le mieux*, a phrase current in the seventeenth century, and found also in Molière and Corneille.

**42 16.** Cornelius Tacitus, the great Roman orator, senator, and historian, born about 52 or 54 A.D., married the daughter of Agricola, governor of Britain, and died about the beginning of Hadrian's reign. Only the first four books of his *Histories* and a bit of the fifth survive (embracing the period A.D. 69–97).

**42 17. Germanicus** (described in Tacitus' *Annals*, I. and II.) was the son of Nero Claudius Drusus and of Antonia, daughter of Mark Antony and niece of Augustus; a popular Roman hero, supposed to have been poisoned by Tiberius A.D. 19, father of Agrippina, etc.

**42 20.** Torquato Tasso, the great Italian poet, born at Sorrento in 1544, died at Rome in 1595; author of the epic poem *La Gerusalemme Liberata*, the pastoral *Aminta*, etc.

**42 22.** *Essais de Morale*, by the famous moralist P. Nicole (1625–1695), "a sort of minor Pascal," who was connected with the well-known school of Port Royal, collaborated with Arnauld on the Port Royal *Logic*, wrote *Pensées*, works on moral philosophy, etc.

**42 24.** Blaise Pascal (1623–1662), the most celebrated of the French maxim or *pensée* writers, author of the *Lettres Provinciales* attacking the Jesuits, geometrician, inventor of an arithmetical machine, distinguished physicist, moralist, mathematician, possessed of an exquisite style, "the father of French prose, as Corneille was the father of French verse," author of the *Pensées*, a series of sublime but disconnected thoughts on man, religion, God, destiny, the Infinite, etc. Pascal intended originally to develop his system of moral philosophy, but it was found after his death in a fragmentary condition, unfinished.

**43 3.** La Calprenède (1610–1663?) was the author of the novel called *Cléopâtre*, and was satirized by Boileau. His bad style did not prevent Mme de Sévigné from being fascinated by him.

**43 20. Je me pendrois de :** = *je me pendrais en trouvant*, a frequent inaccuracy in the French of the period.

**43 29.** Widow of the Marquis de Montlouet; died 1687.

**44 12. La Capucine** was the name of a small house in the park of Les Rochers.

**44 28.** Italian : *a little bread, a little wine.*

**45 6.** These lines form the first tercet of one of Voiture's sonnets, Mme de Sévigné having only changed *ses yeux* to *vos yeux*. The remainder of the sextet is as follows :

> L'onde, la terre et l'air s'allumoient à l'entour ;
> Mais auprès de Philis on le prit pour l'Aurore,
> Et l'on crut que Philis étoit l'astre du jour.

**45 21.** This lady was Thérèse, sister of the Comte de Grignan, married in 1668 to Comte de Rochebonne, commandant of the Lyons district.

**46 4.** The **Comte de Brancas** was satirized by La Bruyère in his *Caractères* as " The Absent-Minded Man."

**46 8. Portugaise :** allusion to the *Lettres Portugaises traduites en Français*, published in 1669 by Noël Bouton, Marquis de Chamilly, marshal in 1703.

**46 15. Elisabeth Hamilton :** lady-in-waiting to the queen, wife of Comte de Gramont and sister of Comte Antoine Hamilton, author of the famous *Mémoires de Gramont.* Died in 1708.

**46 25. la Toussaint :** saints' days are feminine (*fête*, f., understood).

**46 30. Mme de Chaulnes** was wife of the Duc de Chaulnes, governor of Brittany, ambassador to Rome, etc. The letters are full of references to both of them, and their sumptuous dinners and receptions were celebrated.

**47 10. La divine Plessis** was Mlle du Plessis d'Argentré, a Breton gentlewoman who lived in a neighboring château, made herself ridiculous by imitating Mme de Sévigné, by her affectation, etc.

**47 27. Monsieur** was the title of Philippe, Duc d'Orléans, brother of the king.

**47 28. Ange** was the nickname of Mlle Elisabeth Rouxel, later Comtesse de Grancey, a court beauty and favorite, attached afterwards to the suite of the queen of Spain.

**47 30.** Daughter of the Comte de la Vauguyon, sister of the first husband of the Duchesse de Chaulnes. She secretly married the Sieur de Fromentan, Comte de la Vauguyon, at the age of fifty-five.

**47 34. Mlles de Croque-Oison, de Kerborgne :** obscure personages about whom nothing is known except their singular names.

**48 5.** The heading of this letter recalls the death of the Baron de Chantal, Mme de Sévigné's father, killed in a duel July 22, 1627. — The 22d of July was the *fête* day of Mary Magdalene.

**48 15. Guerche** is now a cantonal capital of the department of Ille-et-Vilaine, about twelve miles south of Vitré.

**48 21. La Murinette** was the nickname of Marie-Anne du Piri de Murinais, a beautiful relative of the Duchesse de Chaulnes, married in 1674 to the Marquis de Kerman. Died 1707.

**48 24.** The provincial estates of Brittany, assembling at intervals to vote on taxes, etc. Other provinces having these assemblies were Burgundy, Languedoc, Provence, Artois, Hainaut, Pau, Foix, etc. ; called the *Pays d'État.* They provided for crown and local expenses.

**49 12.** An écu of the present day is worth about five francs (= $1.00). Formerly there were *écus* of three and of six livres, stamped on one side with three *fleurs-de-lis.*

**49 19. Picard** was a servant.

**49 29. Mme Quintin** was Suzanne de Montgommery, wife of Henri Goyon de la Moussaie, Comte de Quintin.

**49 34. Le Pertre** is a small town three and a half leagues southwest of Vitré.

**50 5. un équipage de Jean de Paris :** proverb ; = a magnificent equipage (Littré and Paulin Paris).

**50 7. Chien** (*chienne*) is often prefixed to a genitive, like *de commerce* in this line, in a depreciatory sense = what earthly intercourse ; cf. English "to live a dog's life." See also *chien d'esprit*, p. 52, l. 22.

**50 8. Fontainebleau** (thirty-seven miles from Paris) is famous for its park (sixty-five square miles in extent), château, picture gallery, and historic associations connected with Louis XIV., Christina, queen of Sweden, Napoleon, and Pope Pius VII. (who was confined here) ; now a great resort for landscape painters.

**50 9. Chambord,** the celebrated château of Francis I. near Blois, "the Versailles of Touraine," residence of the French kings down to Louis XV. The palace, in a park of 13,000 acres, has 440 rooms, in one of which Molière's *Bourgeois Gentilhomme* was performed for the first time in 1670. — Rochefort was the château of Anne de Rohan, dowager princess of Guémené, in the province of La Beauce.

**50 14. Monsieur de Condom :** = Bossuet, who, however, never had the benefice of Rebais ; Mme de Sévigné was mistaken.

**50 15.** The **Abbé de Foix** was brother of the Duc de Foix and of the Duc de Rendan.

**50 16.** The **Duc d'Anjou** was the second son of Louis XIV.

NOTES. 163

50 16. **aux états :** to the opening of the provincial parliament.

51 2. **méchante :** = *low-spirited.*

52 1. *Morale,* Pierre Nicole's Essay on Morality, so much admired by Mme de Sévigné, who calls his works "divine." Nicole was Pascal's intimate friend and wrote voluminously on moral philosophy, doctrinal Christianity, faith, self-knowledge, etc.

52 3. Racine's tragedy of *Bérénice,* suggested to him by Madame Henriette d'Angleterre, Duchesse d'Orléans, first wife of Philippe, brother of Louis XIV., came out in 1670 and was based upon a single sentence of Suetonius. It is full of allusions to the relations existing between Louis XIV. and his sister-in-law, suggested by those existing between Titus and Bérénice. The sentence is : "Titus reginam Berenicen, cui etiam nuptias pollicitus ferebatur . . . statim ab urbe dimisit invitus invitam."

52 5. The Abbé de Villars, whose criticism irritated Racine very much. He was assassinated in 1673.

52 28. **Bêtes :** probably mosquitoes (?).

52 30. Anne d'Ornano, Comtesse d'Harcourt was Comte de Grignan's aunt, and one of Mme de Grignan's *bêtes noires.*

52 33. **Golier :** one of Mme de Sévigné's women.

52 33. J. A. de Monteil, brother of Comte de Grignan, known as Comte d'Adhémar, became distinguished as a military officer and was attached to the suite of the Dauphin ; died 1713, and with him the direct line of the Grignans became extinct.

54 8. **Lambesc** was a little town in Provence, four and one-half leagues from Aix, where the provincial estates (parliament) assembled.

54 14. The bishop meant was probably J. Adhémar de Monteil de Grignan, bishop of St. Paul Trois Châteaux, afterwards count-bishop of Uzès ; died 1674.

54 16. **Ordinaires :** mails, posts.

54 25. Mme de Grignan's husband's title was lieutenant-general of Provence.

54 26. **Apollidon** was the name of a castle in the romance of *Amadis,* playfully applied by Mme de Sévigné to her daughter's residence.

54 28. This Italian sentence means "I have put my heart in your hands : it depends upon you alone to make yourself as beloved as you like."

54 32. **Jean Corbinelli,** a friend of Mme de Sévigné, lived to be nearly a hundred (says Masson) and died in 1716. A follower of the Cartesian philosophy at first, he afterwards became a Christian mystic and quietist, and wrote religious romances in furtherance of his views. Mme de Grignan called him *le mystique du diable* and disbelieved in his orthodoxy. The letters frequently refer to Corbinelli.

**55 4.** Armand de Gramont et de Toulongeon, Comte de Guiche, eldest son of the Marshal Duc de Gramont, a brave soldier in Turenne's army.

**55 9.** Allusion to Mme de Grignan's illness two years before, at Livry.

**55 16.** Reference to Nicole's treatise, *Des Moyens de conserver la Paix avec les Hommes*, Part II. Mme de Sévigné admired Nicole extravagantly.

**56 9.** The allusion is probably to the chapel Mme de Sévigné was building.

**56 15.** The quotation is from Rabelais, *Pantagruel*, Chap. XVIII., Book IV.: the lamentations of Panurge during a storm.

**56 23.** Mme de Grignan had sent her mother a story about certain black dwarfs fabled to haunt desert places, Druidical ruins, etc., in Brittany, and play malicious tricks on the inhabitants.

**56 28.** Antoine-Charles, Comte de Louvigny, became Comte de Guiche and Duc de Gramont, in succession to his father, the marshal-duke.

**56 29.** The position was colonel in the French Guards.

**56 29.** François d'Aubusson, Duc de la Feuillade, marshal of France after 1675, succeeded Marshal de Gramont in 1672.

**57 1.** Marie Gode (Godde) de Varennes, Marquise de la Troche, an intimate friend of the Sévignés.

**57 5. Hasta la muerte :** Spanish, *until death*.

**57 6.** The Coadjutor of Arles, consecrated bishop of Claudiopolis in 1667.

**57 7.** The two brothers of Comte de Grignan.

**57 10. par provision :** *provisionally*, *meantime*.

**57 12. Dubois** was a postman much liked by Mme de Sévigné.

**57 14. De la Fayette,** etc. : explained in previous notes.

**57 17.** The **Duc de Lauzun** was arrested in 1671, and was not set at liberty until 1681. In perhaps the most famous of her letters (No. 121, ed. Mesnard), Mme de Sévigné tells her daughter of the engagement of Lauzun, a younger son of a noble family, to Anne Marie-Louise d'Orléans, Duchesse de Montpensier (1627–1693), called *la grande Mademoiselle*, cousin of the king, a princess of the blood-royal. The marriage was broken off. He became colonel-general of dragoons, and after the princess' death, he married the daughter of Marshal de Lorges ; died in 1723.

**57 28. Pierre-Encise :** an old castle, formerly a state prison, near Lyons ; now destroyed.

**57 29. Charles de Batz d'Artagnan** was an officer in the musketeers who had charge of state prisoners like Foucquet and was very humane towards them.

**57 30. Pignerol:** see note on that subject.

**58 3. Marsillac:** eldest son of the Duc de la Rochefoucauld, and successor to the title.

**58 4. Berri** (capital Bourges) was a large province almost in the centre of France, afterwards famous as George Sand's residence.

**58 23. provisions:** letters patent authorizing a position under the crown.

**59 3. nièce:** Louise Rouxel, younger sister of the Comtesse de Maray; the sisters were known as the "Angels."

**59 7.** The **Marquis de Villarceaux** was a brother of Mme Grancey, mother of the "Angels," and a great admirer of Ninon de l'Enclos and of Mme Scarron (later de Maintenon).

**59 19.** The **voisine** was Mme de Monaco, with whom Lauzun had been in love. She transferred her affections to the king.

**59 20.** The locks of hair (*cheveux*) were, it seems, mysteriously labelled *grison, mouton* (or *mousson, foaming wave ?*), *blondin*, etc., in a fashion that now eludes explanation; *mousson de la mère* may be for *mouton de la mer* (hair the color of sea-foam, from *mouton, foaming billow*).

**59 24.** The president, **Jean de Mesmes,** who married Anne Courtin, daughter of the Seigneur de Brusselles.

**59 31.** The small-pox raged with extraordinary virulence in France towards the end of the seventeenth and the beginning of the eighteenth century, carrying off members of the royal family, etc. Mme de Sévigné herself died of it in 1696, and so did her grandson in 1705, the only son of Mme de Grignan, who died of sorrow over his loss.

**60 33. noise:** *quarrel.*

**61 4.** Eight or ten unimportant lines are here omitted.

**61 12. Jean Pecquet** (1622–1674) was a famous anatomist and physician of the day, who attended Foucquet, Mme de Grignan, and her child, etc.

**61 17.** Allusion to Orgon, in Molière's *Tartufe* (Act IV., Scene 3), who says: "Allons, ferme, mon cœur! point de foiblesse humaine."

**61 20. Catau** was Mme de Sévigné's maid; called *Satan* (!) in one MS.

**61 30.** A fashionable abbé of the time, friend of Mme de Richelieu, etc., and much liked in the brilliant "bluestocking" circle that frequented the Hôtel de Richelieu.

**61 32.** A few lines have been omitted here.

**61 33.** At **Châlons** several historic battles were fought, the most famous being the great struggle in which Attila, king of the Huns, was defeated in 451 by the Goths, Franks, and Burgundians.

**62 3.**   **Franche-Comté** was a province in eastern France; capital, Besançon, birthplace of Victor Hugo.

**62 4.**   A quotation from one of Mlle de Scudéry's madrigals.

**62 5.**   For **Brancas, La Trousse, Pomenars** (the counterfeiter), **Corbeau,** and **Trochanire** (La Troche), see previous notes.

**62 11.**   The Devilles were Comte de Grignan's head butler and his wife; dismissed for insolence.

**62 15.**   Probably the chevalier de Châtillon, celebrated for his poverty, silliness, and good looks (St. Simon), captain of Monsieur's bodyguard, then his first gentleman-in-waiting.

**62 21.**   **Louis de Provence** was Mme de Grignan's son (*le petit dauphin,* etc.).

**62 22.**   An Italian phrase used in ending a letter: *with this I recommend myself = farewell.*

**62 26.**   **Nicolas le Camus** was attorney-general, first president of the Court of Aid, and brother of Cardinal le Camus.

**62 28.**   **Lavardin :** see previous note.

**62 28.**   This "affair of his Majesty" was an effort to extort from the impoverished Estates of Provence the sum of 600,000 francs; otherwise, the assembly was threatened with indefinite dissolution.   Mme de Sévigné counselled prudence, and Grignan followed her advice.

**63 2.**   **Uzès :** see previous note.

**63 5.**   **séparer :** *prorogue, dissolve.* — A few lines are omitted here alluding to the Devilles, etc.

**63 15.**   **Salon** was the capital of the canton Bouches-du-Rhône.

**63 21.**   The church of the Minimes was near the Place Royale and was much frequented by the nobility and gentry.   The heart of the Baron de Chantal, Mme de Sévigné's father, was buried there.

**63 21.**   **en Bourdaloue :** like B., the celebrated preacher, just then beginning to introduce *portraits* of people in his sermons, thus originating a class of imitators whom Boileau scourged as *singes de Bourdaloue* (*Sat.* X., 345–347).

**63 23.**   The **Comte de Tréville** was so crushed by the sudden death of Madame Henriette (June 29, 1670) that he renounced the world and went into a retreat. — Henriette de France was the daughter of Henri IV., king of France, and wife of Charles I. of England ; Henriette d'Angleterre, Duchess of Orléans, was the first wife of Philippe of France, brother of Louis XIV.

**63 29.**   Simon Arnauld, Marquis de Pompone (1618–1669) "celebrated as a diplomatist for his integrity and skill, was the son of Arnauld d'Andilly, and the nephew of the great Jansenist divine, Antoine Arnauld."— Masson.

**64 3. Lyonne :** see previous note.

**64 23. Mme de Vaudemont,** wife of the Prince de Vaudemont, was a daughter of the Duc d'Elbœuf and intimate friend of the de Grignans, nearly related to the La Rochefoucaulds, etc.; died 1714.

**64 29. prince,** etc.: nickname given to Joseph de Grignan (then known as Adhémar) on account of his grand air.

**65 18. Mme Scarron,** Lauzun, Mme d'Heudicourt : see previous notes.

**65 21. un certain pays :** the court ; kept in a continual tempest by the gallantries of the king, the rivalries of the various favorites, the Lauzun-Montpensier affair, etc.

**65 24. Saint-Germain** (see note) was one of the royal residences at this time.

**65 25. la plus enviée** was Mme de Montespan. — Mme Scarron (afterwards de Maintenon) was distinguished for her discretion, good sense, acquirements, and skill as a letter writer.

**66 10. Bellefonds :** see previous note.

**66 20. brevet de retenue :** a certificate of *assurance* payable for the amount stated to the wife or assigns of a royal official.

**66 31. Madame** was the title of the first Duchesse d'Orléans (Henriette d'Angleterre), daughter of Charles I. of England, and of Elisabeth-Charlotte de Bavière, countess-palatine of the Rhine, second wife of the king's brother, *Monsieur*, Duc d'Orléans. It is the second *Madame* who is referred to in the text ; *l'autre*, the first *Madame*.

**66 32.** Racine's *Bajazet* was first performed January 4 or 5, 1672.

**66 33. empirando :** Italian, *steadily getting worse*.

**66 34.** Camille d'Hostun, Comte de Tallard, became Marshal of France in 1703, minister of state in 1726, and died in 1728.

**67 1. Claude Boyer** (1618–1698) was a member of the French Academy whom Chapelain compared to Corneille alone.

**67 5.** A parody on a line in Racine's *Alexandre :* "Du bruit de ses exploits mon âme importunée " (Act I., Scene 2).

**67 17. faire l'entendue :** *to play the knowing one.*

**67 19. les grosses cordes :** *the mainstay.*

**67 32.** The beautiful Gabrielle Louise de St. Simon, Duchesse de Brissac.

**67 33.** The **Duc de Longueville** (Charles Paris d'Orléans, Comte de St. Paul) was killed at Yssel, in the passage of the Rhine, 1672.

**67 33. Comte de Guiche :** eldest son of Marshal Gramont ; see previous note.

**68 3.** A few lines are omitted here.

**68** 3.   Marie Amat, wife of the Marquis de Valavoire de Vaulx, lieutenant-general; both signed Mme de Grignan's wedding contract on behalf of her husband.

**68** 8.   **M. le Grand** was the Comte d'Armagnac, grand equerry of France.

**68** 8.   **turlupinade :** nonsense worthy of Turlupin, a comic actor of the time, famous for his broad jokes.   His name (le Grand) was doubtless suggested by that of the *grand écuyer*.

**68** 22.   **Langlade** (Jacques de) was secretary of the Duc de Bouillon, private secretary to Mazarin, and a friend of the Sévignés.

**68** 25.   **chose :** "thingumbob"; allusion to the Roman Regulus who returned to Carthage to keep his word.

**69** 3.   The young Marquis de Sévigné (Mme de Sévigné's son) had been in love with the actress, la Champmeslé, for whom Racine wrote several of his characters; sportively spoken of as *belle-fille* by Mme de Sévigné.

**69** 5.   **la Desœillets :** another celebrated actress of the time; died 1670.

**69** 6.   **moi :** Mme de Sévigné herself sometimes played in private theatricals.

**69** 14.   **comédie,** *comédien,* etc., were often used in the seventeenth century in the wider sense of *play, player,* in general. — Mme de Sévigné enjoyed unrivalled opportunities of seeing the "first nights" of the most celebrated plays of Racine, Corneille, Molière, etc.

**69** 20.   The queen-mother was Anne of Austria; the play was Corneille's *Pulchérie,* performed in 1672.

**69** 24.   See previous note for the "angels."

**69** 25.   Widow of Antoine de Bourdeaux, who died while ambassador to England in 1660; a woman of low birth who counted many distinguished men and women of the day among her friends.

**69** 26.   The Duc de la Rochefoucauld.

**69** 28.   **Comte de Créance's** daughter was supposed to have been kidnapped by the notorious Pomenars (see previous note) and secreted fourteen years.

**69** 29.   **le bel-air :** the fashionables.

**69** 30.   François de Neufville, marquis, then Duc de Villeroi (1644–1730), tutor of Louis XV., governor of Lyons, etc., often called *le charmant.*

**70** 7.   **Mme de Verneuil** was a daughter of the Chancellor Seguier, wife of Henri de Bourbon, Duc de Sully, natural son of Henri IV.; famous for her beauty and amiability; intimate friend of the Sévignés.

**70 12. Guillaume d'Harouys:** seigneur of Silleraye, treasurer of the Estates of Brittany, a friend of the Sévignés and type of the extravagant nobleman of the day, socially accomplished but overwhelmed with debt.

**70 17.** The *Maximes* of La Rochefoucauld, a volume filled with pithy pessimism and pointed malice in the form of brief sentences and paragraphs, appeared first in 1665 ; the third edition in 1671.

**70 21.** François de Harlay de Champvallon was archbishop of Paris from 1671 to 1695. — The archbishop of Reims (where the kings of France were crowned) was Charles-Maurice le Tellier.

**70 27.** François de Borgia (1510–1572), Duke of Candia, a Spaniard, third general of the Jesuits (1565), canonized in 1671.

**70 29. Saint-Antoine:** the ceremony took place at St. Paul's, the Jesuit church.

**70 29.** François des Montiers, Comte de Mérinville, former lieutenant-general to the government of Provence.

**71 11.** War against Holland had been declared in 1672, and Charles de Sévigné had joined the army under the Duc de Luxembourg, Marshal of France.

**71 13.** The little granddaughter (Marie-Blanche d'Adhémar de Grignan) whom Mme de Sévigné was rearing in her own house, became a nun of the Visitation.

**71 21. chez Madame:** at the Duchess of Orléans'.

**71 21. Mademoiselle:** *la grande Mademoiselle*, the Duchesse de Montpensier.

**71 25. Nicole:** see previous note.

**72 27.** The **Duc de Rohan** (Louis de Rohan Chabot), Prince de Léon, was odious to Mme de Sévigné on account of the way in which he treated his wife ; died 1727. — The Chevalier de Grignan (*le beau chevalier* of so many of Mme de Sévigné's letters) was ill of small-pox and died shortly after.

**73 5. bleds:** old spelling of *blé* (*wheat*) ; allusion to the abolition of some prohibition affecting the grain market of Provence.

**73 5. M. le Camus:** see former note.

**73 9. Mme du Fresnoy** was lady-in-waiting to the queen, wife of Louvois' first clerk, and his mistress. Louvois (1639–1691), the famous war minister of Louis XIV.

**73 19. Abbé Têtu** (nicknamed *Têtu-tais-Toi*, on account of his fluency = *tais-tu-tais-toi*) : see former note.

**73 26.** Pierre Seguier, Chancellor of France, famous for his part in the prosecution of Foucquet.

**73 27. La Comtesse** de Fiesque : see former note.

**73** 32. "Mme de Grignan was not only witty and agreeable; if we may believe Corbinelli, she understood excellently the philosophy of Descartes, and could talk about it with much skill. . . . Of Mme de Sévigné's two children, the son appears to have been a kind of rake, left to do pretty much what he liked. Kind-hearted, easily led astray, yielding to every temptation, he fell under the influence of Ninon de l'Enclos, who corrupted the son as she had corrupted the father. His redeeming quality was deep affection for his mother." — Masson. "Full of attentions and of kindness, he constantly endeavored to amuse and please her. . . . Mme de Grignan, more guarded in conduct, proper, decorous, and outwardly irreproachable, pleases us very little, nevertheless. She was selfish and haughty, and she never seems to have returned in an adequate manner that deep affection which breathes through Mme de Sévigné's correspondence with her." — Mesnard, *Notice Biog.*, p. 118.

**74** 4. **Madeleine-Agnès :** one of the nuns at the convent of the Visitation.

**74** 21. François-Auguste, Marquis de Valavoire de Vaulx.

**74** 25. Joseph de Seguiran de Bouc, first president of the Chamber of Accounts at Aix.

**74** 25. Jean-Baptiste de Forbin Meynier, Marquis d'Oppède, ambassador to Portugal.

**74** 26. **M. de Gordes :** perhaps the marquis, grand seneschal of Provence, *chevalier d'honneur* to the queen, a signer of the marriage contract of Mme de Grignan.

**74** 26. Jean de Forbin de Souliers (or Soliers), colonel of the Provence regiment, brother-in-law of Mesdames de Valavoire and de Buzanval.

**74** 26. Angélique Amat, wife of André Choart de Buzanval.

**74** 27. The **Coulanges** were first cousins of Mme de Sévigné, her mother having been Marie de Coulanges, Baroness de Chantal; see former notes.

**75** 2. Francois-Annibal, Duc d'Estrées, elder brother of the marshal and the cardinal, governor of the Ile-de-France, ambassador to Rome; died 1687.

**75** 3. **Mme de Rochefort** was granddaughter of Chancellor Seguier, and the allusion is to Mme de Grignan's having written a letter of condolence to the Comtesse de Guiche and Mlle de Béthune, his other granddaughters, on the occasion of his death.

**75** 13. *Adone* (Adonis) was the title of an Italian poem full of *concetti* written by Marini in France, appearing in 1623, dedicated to Marie de Médicis. Chapelain had written for it a letter or introduction giving his opinion. Jean Chapelain (1595–1674) was one of the literary despots of the seventeenth century, member and one of the founders of the French Academy, author of the epic *Pucelle*, "an idle epicurean, who derives most of his fame from his having been intimate with all the foremost literary men of the time." — Saintsbury. He encouraged Racine and had had much to do with Mme de Sévigné's education. The Academy was founded by Richelieu in 1635.

**75 15.** Canto V., entitled "La Tragedia" (translated *comédie* by the letter writer). It gives the story of the nightingale buried in the lute, "Nel cavo ventre del sonoro legno," which is told by Mercury in Canto VII., entitled "Le Delitie."

**75 20.** The marriage was that of Mlle du Gué, sister of Mme de Coulanges, to M. de Bagnols, a wealthy nobleman of Lyons.

**75 26.** Perhaps Louis-Félix, Marquis de la Valette, natural grandson of the Duc d'Épernon. His mother was a de Souliers.

**75 27.** **Pellisson** had in 1671 purchased the office of Master of the Petitions.

**76 1.** **Madame** was Marguerite de Lorraine, second wife of Gaston, Duc d'Orléans; died the April following.

**76 8.** **les petits soufflets**: playing at a game of "pretended" blows, make-believe, turning into reality.

**76 16.** Marie-Sidonia, daughter of the Marquis de Marolles, wife of the Marquis de Courcelles; reference to a suit brought against her by her husband in 1669.

**76 17.** **la Tournelle** was the Criminal Chamber of the parliament of Paris, composed half of counsellors of the Upper Chamber and half of counsellors of inquiry.

**76 18.** **sur la sellette**: *on the stand*.

**76 20.** The **Conciergerie** was the Paris city prison, famous as the place of imprisonment of Marie Antoinette during the French Revolution; still standing, though partly destroyed by the Commune in 1871.

**76 22.** **Guiche, Longueville, Scarron, Têtu**: see previous notes.

**76 24.** **François Comte de Boufflers**: elder brother of the marshal. — His corpse killing the curé gave rise to La Fontaine's celebrated fable (XI., Book VII.), *Le Curé et le Mort*.

**77 14.** **Mme du Fresnoi** was Louvois' ladylove; see previous note.

**77 25.** **Coteaux** was a nickname applied at first to Saint Evremond and others by Boisrobert. They were reputed so fastidious that M. du Mans (Lavardin) said that there were not four *coteaux* (vineyards) in France whose wine they would approve. The name stuck to them and was transferred to any over-fastidious gourmand.

**78 3.** Lucie de Costentin de Tourville, Marquise de Gouville.

**78 3.** Diane Chasteignier de la Roche-Posay, second wife of the rich financier le Page. She derived the name Saint-Loup from an estate which her husband bought for her in Poitou.

**78 6. Segrais** (Jean Renaud de): gentleman-in-ordinary to Mademoiselle, and a great friend of the Sévignés.

**78 10.** 1022 was the number of stars in Ptolemy's catalogue.

**78 14.** Anne-Elisabeth de Lorraine, princesse de Vaudemont, daughter of the Duc d'Elbœuf, a friend of the Sévignés.

**78 17.** Racine's *Bajazet* was published about six weeks after its first appearance; printed in 1672. — La Fontaine's *Contes* were not published until 1675, though several of them were probably printed separately before this date, as, for example, *Les Troqueurs*.

**78 18.** The maxim referred to was: "Qui vit sans folie n'est pas si sage qu'il croit" (*Maxime* 214 of modern editions).

**78 19.** Epictetus: the Stoic philosopher, a slave and freedman of Nero whose philosophic maxims were collected by his pupil Arrian under the title *Encheiridion* (Handbook); born about 50 A.D. in Phrygia. They teach self-denial, endurance, self-repression.

**80 7. Barbin** was a well-known bookseller-publisher of the time.

**80 8.** Romances by Mme de La Fayette, which enriched Barbin by their popularity. The *Princesse de Montpensier* appeared in 1662, the *Princesse de Clèves* only in 1678; perhaps the editor altered the text from *Zaïde* (1670), another romance of de La Fayette.

**80 11. la Champmeslé :** see previous note.

**80 17.** The *tirades* (impassioned long passages) of Corneille were bits of superb oratory in verse.

**80 20.** But Racine's *Esther, Athalie, Phèdre, Britannicus, Mithridate* were yet to come and showed up Mme de Sévigné's hasty judgment.

**80 28. Despréaux :** Boileau. It was *le bon gout* then to worship the *bonhomme* Corneille.

**80 31. Anne Bigot Cornuel.** — Jean Tambonneau was president of the Chamber of Accounts and married a sister of the Duchesse de Noailles. — A line is omitted in the text.

**81 2.** Sea water was a supposed cure for hydrophobia.

**81 4.** Marie-Sidonia de Lenoncourt, wife of the Marquis de Courcelles, then engaged in a lawsuit with her husband.

**81 9.** Saint Ambrose (A.D. 340–397) was bishop of Milan, a great student, and was erroneously supposed to be the author of the *Te Deum laudamus*.

**81 11. Semblance,** in the *Academy Dictionary* of 1694, was said to be used only in this expression. — A line or two are omitted here.

81 27.  A wine sent from Provence and produced at St. Laurent.

81 29.  **in petto :** Italian, *in my heart.*

81 30.  **Monsieur de Laon** was César d'Estrées, bishop of Laon from 1655 to 1681, and was declared cardinal soon after 1672.

81 31.  **Montausier** was "governor" of the Dauphin (Louis, eldest son of Louis XIV.).

82 1.  **Pierre de Bonzi** was archbishop of Toulouse, then of Narbonne, and grand almoner of the queen.

82 12.  René du Plessis de la Roche-Pichemer, Comte de Jarzé.

82 13.  This **dame** is uncertain ; possibly Mlle de Grancey, Mlle de Fiennes or Mme de Coëtquen.

82 14.  The Chevalier de Lorraine was Philippe, younger brother of Comte d'Armagnac.

82 15.  The style of Comte de Guiche (Marshal Gramont's eldest son) was extremely involved and obscure ; Mlle de Scudéry complained of it.

82 18.  **le faubourg** here means especially her friends La Rochefoucauld and de La Fayette, who lived in the Faubourg St. Germain.

82 20.  **Paul de Barillon** d'Arnoncourt, Marquis de Branges, was ambassador to England, counsellor of state, etc.

82 25.  A funeral service in memory of the famous Chancellor Seguier, at the Church of the Oratory, rue St. Honoré, now belonging to the French Protestants.  It was ordered by the Academy of Painting and Sculpture. The order of the Oratorians was founded in France by Père de Bérulle (1611), and included celebrated names, such as Massillon, Malebranche, etc.

82 29.  **Charles le Brun** (1619–1690) painted a famous series of pictures from the life of Alexander the Great, was director of the decorations at the Palace of Versailles and of the Gobelins tapestry works (established 1662), and the recognized founder of the French historical school of painting.

83 4.  **mortier :** mortar-board cap worn by magistrates.

83 12.  The tapers lighted around a coffin form the *chapelle ardente.*

83 17.  **Mme de Verneuil** was the chancellor's daughter.

83 19.  The Hôtel Seguier was a well-known mansion where the French Academy held its sittings from 1643 to 1673, once belonging to the Condés, Montpensiers, etc.

83 22.  Jules Mascaron was appointed bishop of Tulle in 1671.

83 23.  The Duke of Monmouth, beheaded in 1685, was the natural son of Charles II., King of England, and Lucy Waters : born at Rotterdam in 1649 and known as "James Crofts."  He fell in love with Madame Henriette, his father's sister, and was banished.

83 32.  Vincent Léna (**Laisné**) was an Italian, born at Lucca in 1633, reared at Marseilles ; died 1677.

**84 6.  action :** *service, oration* (obsolete).

**84 11.  Jean-Baptiste Lulli** (1633–1687), a Florentine reared at Paris, was superintendent of the king's music, composed the music for some of Molière's pieces and wrote several operas (*Alceste, Armide,* etc.).

**84 12.** *Miserere, Libera :* chants composed by Lulli.

**84 15.** The **Comte de Guitaud** and his wife were great friends of the Sévignés.

**84 16.** Toussaint de Forbin Janson, bishop of Marseilles, then of Beauvais, later cardinal, ambassador to Poland and Rome, etc.

**84 23.  Charleroi** was a fortified town in Belgium.

**84 34.  au jour la journée,** *from day to day.* The aunt was Mme de Toulongeon.

**85 9.** The **marquis d'Oppède** became ambassador to Portugal.

**85 16.** The **Saint-Pilon** was a chapel in the form of a dome built on the summit of an almost inaccessible rock.

**85 21.  touffe ébouriffée :** *fluffy tuft,* expression used by Mme de Grignan in some *bouts-rimés* composed by her at Livry.

**86 15.  Comtesse de Nogent :** sister of the Duc de Lauzun ; died 1720. The Comte de Nogent was drowned during the Dutch War.

**86 15.  Mme de Longueville** (Anne-Geneviève de Bourbon) was the wife of Henri II., Duc de Longueville, "heroine of the Fronde," and sister of the great Condé. Her young son, the Duc de Longueville, was killed at the passage of the Yssel.

**86 17.** Catherine-Françoise de Bretagne de Vertus died in 1692, after living twenty-one years at Port Royal de Paris. The great Jansenist convent school presided over by Arnauld was at Port Royal des Champs. She was Mme de Longueville's intimate friend.

**87 6.** The "man" referred to was Mme de Longueville's lover, the Duc de la Rochefoucauld, both famous for their connection with the wars of the Fronde.

**87 12.** The **marquise d'Uxelles** was wife of a lieutenant-general in the French army.

**87 18.  comte du Plessis :** son of the Duc de Choiseul, Marshal of France, was killed at Arnheim, a Dutch city fortified by Cohorn.

**87 20.** Schenk was a fortress at the confluence of the Rhine and the Waal.

**87 28.  Mme Colonne** and her sister were the notorious nieces of Cardinal Mazarin, the former of whom the king strongly wished to marry in his youth. She married the Roman prince Colonna. The sister was Hortense, Duchesse de Mazarin. The Comtesse de Soissons and Mme de Bouillon were sisters of the ladies above described, and the *folie* referred to was visiting Aix disguised as men !

87 34. The **connétable** was Laurent-Onufre Colonne de Gioeni, Duc de Taliacoti, grand constable of Naples, grandee of Spain, husband of Marie Mancini (Mme Colonne; died 1715). — The scandalous behavior of the kinspeople of the great cardinals Mazarin and Richelieu seems (remarks Bussy) like a judgment on them.

88 2. **Mlle de l'Etoile** was a character in the *Roman Comique* of Scarron.

88 5. **le Prince :** Condé.

88 8. Henri-Jules de Bourbon, son of Condé.

88 10. **La Marans** was Françoise de Montallais, nicknamed *la Merlusine* and well known for her spiteful temper and her relations to the Ducs de Longueville and d'Enghien.

88 21. The Provost de Laurens.

88 27. **Gourville :** see previous note.

88 32. He was the son of the Maréchale de Ferté and figured as the Chevalier de Longueville; accidentally killed in 1688.

89 6. **Montchevreuil** was Philippe de Mornay, chevalier of Malta ; died of this wound.

89 14. Jean-Baptiste, Chevalier de Marsillac, son of the Duc de la Rochefoucauld ; died of the wound described.

89 30. The **maréchale** was Colombe le Charron; died 1681.

89 30. The **comtesse** was Marie-Louise le Loup de Bellenave, married 1673 to Marquis de Clérembault ; died 1724.

90 1. Philippe-Emmanuel de Coulanges (who writes a part of this letter) was Mme de Sévigné's first cousin. Her mother was Marie de Coulanges.

90 3. Orange is the name of the capital of a small principality in the southeast of France near Avignon, once ruled by the Counts of Nassau through intermarriage of this house with that of Philibert de Châlons. William the Silent of Holland and William III., Prince of Orange and king of England, were descendants of this house of Nassau-Orange. The principality was incorporated with France in 1713, but the title " Prince of Orange " still remains with the younger House of Nassau, sovereigns of Holland. — The " siege " referred to in this letter was conducted by Comte de Grignan and 600 gentry of Provence on the occasion of the king's determining to wrest Orange from the Stadtholder William.

90 19. The **Marquis de la Garde** was maternal cousin-german of Comte de Grignan.

90 22. The **Abbé d'Hacqueville** was counsellor of the king and a great friend of the Sévignés.

91 3. **Vaugirard,** now in the heart of Paris, was then a suburb.

91 4. Mme **Scarron** was educating the children of Louis XIV. and Mme de Montespan at this house.

91 10. In 1666 the municipality began to light Paris with tallow candles, and, more than a century later, with oil lamps.

91 11. Bonne de Pons, Marquise d'Heudicourt, once a court favorite, fell into disgrace in 1671.

91 12. **ce pays-là :** at court.

91 15. Daughter of the preceding and, later, Marquise de Montgon. Mme Scarron disapproved of her mother, hence her disgrace.

91 25. Louis-Armand de Bourbon, Prince de Conti, was son of Mazarin's niece, Anne-Marie Martinozzi and Armand de Bourbon, brother of the great Condé.

91 27. **filles :** the queen's maids-in-waiting.

91 30. The **princesse d'Harcourt** was the wife of Alphonse-Henri-Charles de Lorraine.

91 30. Mme de Soubise was the wife of François de Rohan, Prince de Soubise.

91 31. The **Duchesse de Bouillon** (Marie-Anne Mancini).

91 31. The Marquise (afterwards maréchale) de Rochefort.

92 25. **armées,** etc.: forty-eight years before.

92 29. Clément Marot (1497–1544) was at one time the most popular poet in France prior to Ronsard ; wrote epigrams, a metrical version of the Psalms, edited Villon and the *Roman de la Rose,* and composed many occasional pieces in antique verse forms. He is author of the line quoted, which should read : " Ce monsieur-là, Sire, c'étoit moi-même."

93 14. **Mlle de la Trousse de Méry** was a cousin of Mme de Sévigné's. For Corbinelli, see previous note.

93 15. **Louis de Mollier** was a composer of little operas and ballets in which the king sometimes danced ; died 1688.

93 16. **Itier** was also a musician.

93 16. **Pelissari :** a rich financier, who held a salon of Academicians, *littérateurs,* etc.; not in the Sévigné "set." — Most of these personages have been explained.

93 23. **Cardinal de Bouillon** was brother of the Duc de Bouillon and nephew of Turenne ; died 1715.

93 27. Marie-Anne de Bourbon (**Mademoiselle de Blois**) was the daughter of Louis XIV. and Mme de la Vallière ; married the Prince de Conti and died 1739.

94 1. This was the first of three sermons preached in 1674 by Bourdaloue before their majesties, in honor of the Purification of the Virgin.

**94 10.** This haughty prelate was Le Tellier, brother of Louvois, minister of war.

**94 13. Nanterre :** a small village near Paris.

**94 27.** Probably wife of the lieutenant-general Langeron, attached to the Condé household.

**94 28.** The Comte de Briolle or Briord. The other persons have been previously described.

**94 29. pris un jour** = *un jour fut pris.*

**94 33.** The **chamarier** of the diocese of Lyons looked after the service when the archbishop officiated. In this case he was Charles de Châteauneuf, count-canon of St. John's, Lyons. — A portion of this letter is omitted.

**96 8.** The Marquis and Marquise de Villars were great friends of the Sévignés and frequent visitors at Livry, etc.

**96 10.** Cardinal de Retz. The abbé de Saint Mihel (Dom Ennesson or Hennezon) was his confessor.

**96 28. Mme de la Troche** (Marie Gode de Varennes) was one of Mme de Sévigné's closest friends ; nicknamed *Trochanire.*

**96 33.** The **Vicomte de Turenne,** Marshal of France, is one of France's military heroes, and was the grandson of William I. of Orange. Born at Sedan in 1611, long a Protestant, distinguished in the Thirty Years' War, a *Frondeur* in the civil wars because of his passion for the beautiful Duchesse de Longueville, pitted against his great rival Condé in these wars, conqueror of the Spanish Netherlands, Catholic from loyalty in 1668, victor in Holland in the campaign of 1672, ravager of the Palatinate and Alsace in 1674 and later ; he was killed at Sasbach in 1675 and buried at St. Denis, the Westminster Abbey of France. Napoleon removed his remains to the Invalides.

**96 33. Nos frères :** the Coadjutor and the Abbé de Grignan.

**97 2. Pentecôte :** Whitsuntide fell that year (1675) on June 2.

**97 4.** The principal residences of the kings of France are all mentioned in this letter : Saint Germain, Saint Cloud, Fontainebleau, the Tuileries. Saint Cloud and the Tuileries (also associated closely with Napoleon III. and Eugénie) were almost destroyed by the Commune in 1871.

**97 5. hoca** was a Catalan game of hazard introduced by Cardinal Mazarin, and played upon a table divided into thirty compartments, with thirty balls, each containing a bit of parchment with a figure on it. These balls are mingled together in a bag, and one is drawn out, the cipher examined, and the amount lost or gained is read from it. Great sums were gambled away at this game.

**97 11. Pauline** de Grignan, afterwards Marquise de Simiane, Mme de

Grignan's daughter.   The letters abound in references to her, her education, tastes, travels, marriage, friends, children, etc.

97 12.   For Mme de Coulanges, the Princesse d'Harcourt, Mme de
la Troche, etc., see former notes.

97 17.   The olive, live-oak, laurel, orange, etc., of Provence, are ever-
greens.

97 22.   Mme de Sévigné was studying with the prior.

98 1.   The first part of this letter is omitted.

98 5.   The **honnête homme** in the seventeenth century (says Ste.-
Beuve) was the *homme comme il faut*, a gentleman who kept good company.

98 6.   **Monsieur de Condom** : Bossuet.

98 9.   The Hôtel de Turenne, situated in the Marais, afterwards turned
into a convent, was pulled down and replaced by a church, St. Denis du
Saint-Sacrement.

98 18.   At Sasbach, between Offenburg and Baden.

98 22.   Gabriel de Monchy, Comte d'Hocquincourt, commander of the
queen's dragoons, was killed July 25 in the attack on Gamshusen. — The
prayers of the Forty Hours, in the Catholic liturgy, are repeated during a
jubilee, or in times of great calamity, when the holy sacrament is exposed.

98 33.   Guy-Aldonce de Durfort, future father-in-law of St. Simon and
Lauzun, son of Turenne's sister, Marshal of France in 1676, duke in 1691:
died 1702.

99 10.   François, Marquis de Marines, Maréchal de Créquy, youngest
brother of the Duc de Créquy, who was first gentleman of the bedchamber
to the king.

99 13.   Of these gentlemen the *Gazette* of August 3d says : " This day
(30 July) the king honored with the dignity of Marshal of France, Comte
d'Estrades, governor of Dunkirk, Maestricht, and Limburg ; the Duc de
Navailles, the Comte de Schomberg, general of his Majesty's army in
Catalonia; the Duc de Duras, governor of Burgundy and Captain of the
bodyguard; the Duc de Vivonne, general of the French galleys and vice-
roy of Sicily; the Duc de Feuillade, colonel of the French guards; the Duc
de Luxembourg and the Marquis de Rochefort, captains of the bodyguard."
— A famous witticism of Mme Sévigné's, provoked by these appointments
on the death of Turenne, was that the king had changed one *louis d'or*
into eight four-*sous* pieces !

99 18.   The **grand maître** was the Comte du Lude, once first gentleman of the bedchamber ; made duke and peer of France on this occasion.

99 20.   Real dukes, with real fiefs and offices, had to be registered by
the parliament, in contradistinction to merely honorary ones like this case.

**99** 21.  René-Eléonore de Bouillé, his first wife, passed her time at Bouillé, on account of her passion for hunting.

**99** 28.  **La faveur :** a quotation from *Le Cid*, Act I., Scene 7.

**100** 6.  The bailiff de Forbin and the Marquis de Vins, captain-lieutenant in the king's musketeers.

**100** 7.  Charles d'Albert d'Ailly, Duc de Chaulnes, governor of Brittany, ambassador to Rome, etc.

**100** 8.  Henri-Charles, Sire de Beaumanoir, Marquis de Lavardin, son of Mme de Sévigné's intimate friend, king's commissioner to the Estates of Brittany, etc.

**100** 27.  The **cardinal de Bouillon** was Turenne's nephew and titular Abbé of Pontoise, where he built a château and laid out gardens still existing.

**100** 29.  Antoine-Charles, Comte de Louvigny, then Comte de Guiche and Duc de Gramont.

**101** 2.  **fit courre :** obsolete for *courir*.

**101** 5.  The Marquis de Cavoie was Racine's friend, a favorite of the king, called the *brave Cavoie*, famous for his duels; died some months after Louis XIV., in 1716.

**101** 5.  **Mme de Guénégaud** was the wife of Claude de Guénégaud, friends of the Sévignés.

**101** 14.  **Raymond de Montecuculi** (1608–1681) was the general of the Imperial (German) armies, very famous in his day for his operations against Turenne and Condé on the Rhine.

**102** 7.  **Gadagne** was Comte de Verdun and father of Marshal Tallard.

**102** 9.  **d'Estrées** was lieutenant-general, vice-admiral, and, in 1681, marshal.

**102** 13.  Comte du Lude was grand master of artillery.

**102** 14.  **voiture:** appointment.

**102** 18.  His grandfather was François de Daillon, third Comte du Lude, " governor " of Gaston, Duc d'Orléans.

**102** 21.  Aspire to the title of *monseigneur*.

**102** 28.  **mourir sur le coffre:** *die as a mere hanger-on, courtier* (sitting on a " box " in the antechamber).

**103** 3.  This **Villars** is probably the son of the ambassador, the future marshal.

**103** 4.  Bernard de la Guiche, Comte de St. Géran, grandson of Marshal St. Géran.  The event alluded to was : the head of the Marquis de Béringhen, suddenly torn off by a cannon ball, flew in St. Géran's face, wounding him so severely that he had to wear a cap all his life.

**103** 13.  **Guillaume d'Harouys,** treasurer of the Estates of Brittany, widower of a sister of Emmanuel de Coulanges.

**103** 13.  **Forbin, Chaulnes, Lavardin:** see former notes.

**103** 15.  Allusion to a superstition that medicine acted especially well after the full of the moon.

**103** 24.  The **Loire** is one of the six great rivers of France (which has some 6000 in all, 200 of which are navigable); the other five are the Seine, Rhône, Garonne, Saône, Meuse.

**104** 10.  Philippe-Auguste le Hardi, Marquis de la Trousse, first cousin of Mme de Sévigné, commander of the Dauphin's *gendarmes*.

**104** 12.  Vacant by the death of the Marquis de Vaubrun and given to the Sieur de Madaillan.

**104** 15.  The **grand-maître** was Comte du Lude.

**104** 17.  Charles-Emmanuel, Duke of Savoy, died 1675.

**104** 22.  **l'ami:** the king.

**104** 22.  **Quanto:** nickname of Mme de Montespan, sometimes *Quantova*; perhaps from the Italian gambling expression *quanto va? how much goes?* = *what's the stakes?*

**104** 26.  **la dame du château:** the queen.

**104** 34.  A paragraph omitted here.

**105** 2.  Probably an allusion to Descartes' famous *cogito, ergo sum* (*I think, therefore I exist*) or to Pascal's equally celebrated definition of man as *un roseau pensant* (*a thinking reed*).  Mme de Grignan was a Cartesian, like many of the fashionables of the day.

**105** 4.  Allusion to Harpagon, the miser, in Molière's *l'Avare*, Act V., Scene 3, who is more in love with "the beautiful eyes of his cash box" than with anything else.

**105** 5.  The *Life of Cardinal Commendon*, translated by Fléchier from the Latin of Gratiani.

**105** 10.  **Marie** was one of Mme de Sévigné's attendants.

**105** 11.  **Hélène:** later, wife of Michel Lasnier (Beaulieu), was her maid.

**105** 16.  Henri de Béringhen, first equerry to the king's minor stables.

**106** 5.  The pope (Clement X.) was represented at Avignon (once the residence of the popes) by a vice-legate.

**106** 10.  The papal nuncio was Fabrice Spada, archbishop of Patras, afterwards cardinal.

**106** 15.  The mineral waters of Bourbon were in those days rivals of the Vichy waters.  Mme de Sévigné frequently visited both places for rheumatism.

**106** 16.  Gabrielle de Rochechouart Mortemart, Marquise de Thianges, elder sister of Mme de Montespan.

**106** 17.   The **Nevers** were Philippe-Julien Mazarini Mancini, Duc de Nevers, and Diane Gabrielle de Damas de Thianges, his wife.

**106** 20.   William III., Prince of Orange, Stadtholder of Holland, afterwards king of England.

**106** 21.   The brother of Marshal d'Humières and commander of Villiers-au-Liège, a knight of Malta; died 1684.

**106** 23.   Marie-Marguerite de Dreux d'Aubray, Marquise de Brinvilliers, who tried to poison her husband in order to marry Ste.-Croix.   She poisoned her own father, her children, and her two brothers; beheaded 1676.

**106** 34.   The château of Vincennes, once a residence of the royal family, celebrated for its forests and promenades, afterwards a fortress and prison.

**107** 7.   The granddaughter had just been placed with the Sisters of St. Mary at Aix in Provence.

**107** 8.   Mme de Grignan was educated at Nantes, in a convent of the Sisters of St. Mary.

**107** 15.   **Mme du Gué** was related to Mme de Coulanges' father.

**107** 18.   This youth was Amonio, nephew of Pope Innocent XI.'s chamberlain.

**107** 21.   Hortense Mancini, Duchesse de Mazarin and niece of the Cardinal, famous for her fine eyes.

**107** 23.   Tasso describes Rinaldo in the 58th stanza of the first canto of the *Jerusalem Delivered.*

**107** 29.   Marie-Guyonne de Cossé; died 1707.

**108** 1.   See La Fontaine's tale of *Mazet de Lamporechio,* published in 1666.

**108** 4.   The Greek physician.

**108** 6.   Henri de Gramont, Comte de Toulongeon, younger brother of the marshal; died 1679.

**108** 9.   The little Marquis de Grignan.

**108** 11.   This "charming marquis" was probably the Marquis de la Châtre.

**108** 12.   **François de la Troche:** one of the ensigns of Marshal de Rochefort, later lieutenant of the Dauphin's light-horse.

**108** 30.   Madeleine de Laval Bois-Dauphin, Marquise de Rochefort, was the wife of Marshal de Rochefort and lady-in-waiting to the queen.

**108** 30.   The **marquise de la Vallière** was wife of the Marquis de la Vallière, who was brother of the king's ex-favorite, Mme de la Vallière. She was also a lady-in-waiting to the queen.

**108** 34.   **l'amie** was Mme de Maintenon, now rising into royal favor.

**109 8. Louis-François le Fèvre de Caumartin** was counsellor to the parliament, then intendant of justice in Champagne.

**109 17.** The verses are a parody on the dialogue between Alceste and Lycomède in Act II., Scene 2, of Quinault's *Alceste.* — Mithridates had steeled himself against poisons by experimenting with them constantly.

**109 25. le bien Méchant** (generally nicknamed *le bien bon*) was the Abbé de Coulanges.

**109 28.** The opera was *Atys*, by Quinault and Lulli. — The persons named have been explained in previous notes.

**110 2. Baptiste Lulli:** see previous note. *Atys* (music by Lulli, words by Quinault) had been performed before the king at St. Germain in 1676.

**110 6. Faure** was a celebrated dancer of the day.

**110 10.** The *grand* Trianon was originally erected in 1670 as a retreat for Louis XIV. within the Park of Versailles; rebuilt by Mansard in 1687. The *petit* Trianon was built by Gabriel in 1766 and was the favorite residence of Marie Antoinette.

**110 14.** Mme de Sévigné misquotes *Le Cid*, Act IV., Scene 3: "Et le combat *cessa* faute de combattants."

**110 22.** This passage apparently refers to M. and Mme de Coulanges, and to the former's jealousy.

**110 26.** La Comtesse de Fiesque.

**110 27. Anne Bigot Cornuel** was well known for her *bons mots*.

**111 10. de la Montagne** was Charles de Sévigné's servant.

**111 13. Mme d'Escars** was an intimate friend of Mme de Sévigné.

**111 22.** Allusion to a visit, at Aigues-Mortes (in Provence), to the Marquis de Vardes, who had been banished from court thither.

**111 25.** Pierre, Abbé de la Vergne, was a zealous friend of Mme de Grignan, who was sceptically inclined.

**111 25.** Forbin Janson, Bishop of Marseilles, etc.; see note.

**111 28. chanoine:** nickname for Françoise de Longueval, canoness of Remiremont, who spiritually advised the Duchesse de Brissac.

**111 30.** A fine statue was found at Arles in 1651 and was presented to Louis XIV., who decided it was a Venus, not a Diana; now in the Louvre.

**111 34. Maurel** (?) is also mentioned in a letter of Jan. 12, 1680.

**112 14.** The "princess from Italy" was Catherine-Charlotte de Gramont, daughter of Marshal de Gramont, wife of the Duc de Valentinois, Prince de Monaco.

**112 15.** The Duchesse d'Orléans.

**112 21.** This **Villebrune**, originally a Capuchin monk, became a doctor, was liked by Mme de Sévigné but ridiculed by her daughter, and possessed a medical nostrum for diseases; studied at Montpellier.

**112 23.** The Prince of Tarentum abjured Protestantism in 1670, but his wife and daughter remained Protestants.

**112 25. Laval** is now a populous and important manufacturing centre (linen, cotton, marble works, etc.), capital of the department of Mayenne.

**112 27.** The **Du Plessis** were in close touch with the de Sévignés, one of them being the young Marquis de Grignan's "governor."

**112 30.** The **Duc de la Trémouille**: son of Prince Henri-Charles de Tarente and Amélie de Hesse-Cassel; famous for his fine figure and his — ugly face!

**113 7.** The Grignan family had founded a chapter at Grignan.

**113 27.** Gabrielle de Longueval Municamp, Duchesse and Maréchale d'Estrées, widow of the marshal.

**113 27. le chanoine**: Mme de Longueval.

**113 27. François de Rouville**: brother of Bussy's second wife.

**113 27. Bussy** (Roger de Rabutin, Comte de) was the son of Baron de Bussy and was one of the wittiest and most accomplished letter writers and *mémoiristes* of the Great Age. He was a member of the French Academy and cousin of Mme de Sévigné, author of remarkable *Mémoires*, pensioner of the king, writer of verse, translator of Martial, etc.

**113 30. Monsieur le Premier**: Béringhen, first equerry to the king's minor stables. His wife was Anne du Blé, aunt of the future Maréchal d'Uxelles.

**113 34.** Marie de Bailleul married first the Marquis de Nangis, then the Marquis d'Uxelles; a great friend of the Sévignés, well known for her gallantries, etc.

**114 3.** Marie de Girard, Maréchale de Castelnau, a friend of the Sévignés, also rather too well known for her gallantries.

**114 4.** Philipsburg, the key to the Rhine, had been taken by the Germans after six months' siege. The French general du Foy commanded there; it was afterwards recaptured by the Dauphin.

**114 7.** This Créquy was François, Marquis de Marines, youngest brother of the Duc de Créquy, who was the king's first gentleman of the bedchamber. He was defeated by the Duke of Zell at Conzsaarbrück, was besieged in Treves but distinguished himself at the capture of Fribourg (Freiburg).

**114 14. les petits esprits**: defined by a writer of 1690 to be "light, volatile atoms, the subtlest parts of bodies, which give them motion and are means of communication between soul and body, enabling the former to carry out its operations."

**114** 17.   The **amende honorable** in this case was to ask pardon, standing barefoot with a rope around her neck, before the main entrance of the Cathedral of Notre-Dame.   She was accompanied to the scaffold in the Place de Grève by M. Pirrot, a doctor of theology.   Some believed her a saint !

**114** 25.   Pierre-Louis de Reich, Seigneur de Penautier, treasurer of the Estates of Languedoc, had been accused by la Brinvilliers, but though thrown into prison, he was exonerated after a fashion.

**114** 28.   The attorney-general was Achille de Harlay, afterwards first president of the parliament of Paris (1689).

**115** 4.   Dr. Pirrot, who assisted her to mount the scaffold.

**115** 7.   The Bridge of Notre-Dame was then lined with sixty-one houses.

**115** 13.   **Maestricht,** after falling into the hands of the French, was again besieged by the Germans, but Marshal Schomberg raised the siege.

**115** 15.   The **petite amie** was Mme de Coulanges. — A paragraph is omitted here.

**115** 22.   **Louvigny :** see previous note.

**116** 15.   The Ile St. Louis in the Seine at Paris, connected with the city by numerous bridges.

**116** 17.   **hormis que** is now little used.

**116** 18.   Mme de Sévigné was a sufferer from gout and rheumatism.

**116** 24.   **Sucy** is a pretty village four leagues from Paris where Philippe de Coulanges, maternal grandfather of Mme de Sévigné, built a fine house in 1620.

**116** 24.   Marie de Lyonne, wife of Charles Amelot de Gournay, president of the Grand Council.

**117** 2.   **M. de Moulceau** (written also *Monceaux* and *Mouceaux*), president of the Exchequer Board at Montpellier, where was the famous medical school at which the Capuchin monk Villebrune was studying.

**117** 2.   **in ogni modo :** Ital., *in every* or *any way*, *by any means*.

**117** 4.   **il :** i.e. Villebrune.

**117** 17.   The "exempt" Desgrais had discovered la Brinvilliers in a convent at Liège, whither she had fled for refuge, arrested, and brought her back to France.

**117** 22.   **mirodée** (also *miraudée*) : a Norman patois word apparently meaning *carefully adjusted*.

**117** 34.   **Glaser :** *Glazel*, *Glasser ;* the name is variously spelled.

**118** 2.   **Sainte-Croix,** her former lover, was a cavalry officer and friend of her husband, the Marquis de Brinvilliers, who was a descendant of the founder of the great Gobelins tapestry manufactory.   She herself was highly connected, being the daughter of Comte d'Offremont and related to many distinguished families.

118 6.  The Duke of Luxembourg was one of the great French generals of the time.  He tried to succor Philipsburg, but was prevented by false news, and withdrew.

118 9.  **Aire,** an important and well-fortified place, was captured by Marshal d'Humières, July 31.

118 14.  Marshal Schomberg marched to the relief of Maestricht, besieged by the Prince of Orange, and forced him to raise the siege.

118 16.  The siege and capture of Condé by Marshal de Créquy were described in a previous letter not printed here.

118 17.  The Duke of Villa-Hermosa was governor-general of the Spanish Netherlands and general of the Spanish troops.  He marched on Maestricht with four regiments, favoring the siege of that city.

118 22.  **reversi** (*reversis*): a game at cards introduced into France by the Duke of Savoy in the sixteenth century ; played by four persons. The winner is the one who gets fewest tricks, the knave of hearts being the chief card. — Enormous sums were lost at gambling during this reign, the king's brother on one occasion being obliged to sell his gold plate, jewels, etc., to pay his debts.

118 24.  Anne de Rohan Chabot, Princesse de Soubise, wife of the Prince de Soubise ; much liked by the king.

118 25.  Philippe de Courcillon, Marquis Dangeau, famous for good luck at play, married the Comtesse de Loewenstein, a relation of the Dauphiness.

118 26.  **Langlée** was the son of the *bonne* Langlée, *femme de chambre* to the queen-mother.  He and Dangeau were rivals for the favor of Mme de Montespan.

118 30.  **amie :** Mme de Coulanges.

118 32.  **Mme de Nevers** and **Mlle de Thianges** were sisters; they were nieces of Mme de Montespan.

119 1.  The **Grancey** ladies are the "angels" of a previous note.

119 2.  **Lorraine :** see previous note.

119 4.  **Monsieur le Duc** was the title of Henri-Jules de Bourbon, at first Duc d'Enghien, then Prince de Condé.  He was the son of the great Condé whose title was *Monsieur le Prince.*

119 5.  The Duchesse de Rohan Chabot was about to take her daughter, Mme de Coëtquen, special friend of the Chevalier de Lorraine, to Lorge. *Monsieur le Duc* was his rival.

119 7.  The year before a war had broken out between Denmark and Sweden, terminating in 1679.  But Mme de Sévigné's covert allusion is to

the commutation of the death penalty of the Comte de Griffenfeld into that of life imprisonment. Griffenfeld loved *la bonne princesse* (Mlle de la Trémouille), had risen to high rank at the court of Denmark, was accused of secret correspondence with Louis XIV., and condemned to death. He was originally a learned jurist, whose father was a wine merchant of Copenhagen.

**119** 20. Jean-Baptiste Adhémar de Monteil : bishop of Claudiopolis, coadjutor, then archbishop of Arles, and brother of Comte de Grignan ; the " coadjutor " so often mentioned.

**119** 27. The Abbé D'Hacqueville was counsellor to the king and a devoted friend of the Sévignés.

**120** 4. The de la Garde marriage ; the Marquis de la Garde was a first cousin of the Comte de Grignan and devoted friend of the Sévignés.

**120** 7. The bishop of Marseilles (Toussaint de Forbin de Janson) was made cardinal by Alexander VIII. in 1690.

**120** 11. François-Henri de Montmorency, Duc de Luxembourg.

**120** 20. The archbishop of Arles.

**120** 28. **Monsieur :** the Duc d'Orléans, the king's brother ; **Madame,** the Duchesse d'Orléans ; **Mademoiselle,** daughter of Monsieur and Madame Henriette of England, afterwards first wife of Charles II., king of Spain. — The queen was Marie-Thérèse.

**121.** This interesting letter describes " A Day at Versailles in the Time of Louis XIV."

**121** 7. Fontenelle wrote a eulogy on Dangeau, and La Bruyère, in his chapter on *Des Grands*, describes him under the name of *Pamphile*.

**121** 22. Guy-Aldonce de Durfort, Duc de Lorges, was Turenne's nephew and a marshal of France. On the death of Turenne he commanded in his place.

**121** 23. **tutti quanti :** Italian, *all, everybody.*

**121** 26. **Vichy,** in the department of l'Allier, is still famous for its mineral springs and was known to the Romans as *Aquae Calidae.*

**121** 33. **point de France :** a kind of lace. The *coiffure* described is seen in Mme de Sévigné's own portrait.

**122** 2. The **maréchale de l'Hôpital :** originally a seamstress of Grenoble, fulfilled a prediction made of her that she would marry a great lord (Marshal de l'Hôpital) and then a prince (the former king of Poland, Jean-Casimir Wasa). Her jewels were famous ; died 1711.

**121** 4. **poinçons :** *jewelled hair-pins*, then in vogue.

**121** 4. **Coiffe :** *a coif*, part of a headdress.

**121** 16. **du tout point :** Perrin, in his edition of 1754, corrects to *point du tout.*

**122 17.  poules :** *pools* (stakes at cards; lit. the ' hens,' the stakes being regarded as eggs to be gained from the hen).

**122 21.  quinola :** *knave of hearts,* the chief card in the game of *reversi.*

**122 33.  strapontin:** a front seat that can be raised or lowered.

**122 34.** Allusion to the Princess Niquée, who, in the romance of *Amadis de Gaule,* is represented as gazing enraptured into a magic mirror.

**123 12.  iniqua corte:** *the unjust court* (Tasso's *Gerusalemme,* VII., 12).

**123 16.  le plus plaisant robin:** proverb, *contemptible fellow.*

**123 18.** Louis-Auguste de Bourbon, Duc de Maine, son of Louis XIV. and Mme de Montespan, colonel-general of the Swiss Guards, general of the galleys, etc.

**123 20.** Probable allusion to the two parties into which the court was then divided for and against Mme de Montespan. In Italian history the *Ghibellini* supported the authority of the Holy Roman (German) Empire in Italy; the *Guelfi* opposed this authority and upheld the popes.

**123 20.** For **Thianges, Monaco, Tarente, Monsieur le Prince** (de Condé), see previous notes.

**123 25.** " To whose sword all victory is assured "; Tasso's

> Questa famosa spada
> Al cui valore ogni vittoria e certà.
>
> — *Gerusalemme,* II., 69.

**123 32.** Louis-Alexandre, Marquis de Rambures, colonel of infantry, killed at eighteen.

**124 4.  glorieux :** the Chevalier de Grignan.

**124 14.** The celebrated Dutch admiral De Ruyter died in 1676 from a wound received while in command of the Dutch and Spanish fleets against the French in the Mediterranean.

**124 16.** The de la Garde marriage, which was broken off.

**124 22.** Between the **grand maître** (Comte du Lude) and Mme de Sévigné there had been a love-affair of long standing.

**124 33.** De Lamoignon.

**124 33.** Doctor Pirot (or Pirrot), born 1631, was professor of theology at the Sorbonne, chancellor of the church at Paris, grand-vicar of Cardinal de Noailles, and author of a memoir on the authority of the Council of Trent in France, to which Leibniz replied and which Bossuet defended.

**125 6.** Nicolas de Neufville, Duc de Villeroi, marshal of France, governor of Louis XIV. His son became governor (tutor) of Louis XV.

**125 6.** After Penautier's acquittal he resumed all of his functions and rose again to social favor.

**125** 16. Perhaps an allusion to what Molière says in his *Sicilien*, 13: "Assassiner, c'est le plus court chemin."

**125** 21. The archbishop of Arles.

**125** 23. **De Langeron** was lieutenant-general of the naval forces.

**125** 31. Suzanne d'Aumale de Hancourt, second wife of the Marshal Schomberg who accompanied the Prince of Orange to England and was killed at the Battle of the Boyne.

**126** 2. **Le bien Bon:** nickname of the Abbé Christophe de Coulanges.

**126** 10. A sentence or two omitted here.

**126** 21. The minister of war, brother of the archbishop of Reims mentioned below.

**126** 23. **Nanteuil:** a famous engraver and painter of pastel portraits, born at Reims, 1630, died in 1678; had painted Mme de Sévigné's portrait.

**126** 24. The Comte de Calvo was governor of Maestricht in the absence of Marshal d'Estrades.

**126** 29. The **Duc de Roquelaure** was made governor of Guienne in 1676, in place of Marshal d'Albret, who had just died.

**127** 11. "Little de Rochefort" (daughter of Marshal de Rochefort) was great-granddaughter of the *Chancelière* (Seguier) mentioned below, widow of the Chancellor of France.

**127** 12. Louis-Fauste de Brichanteau, Marquis de Nangis, colonel of the royal regiment of marines.

**127** 14. The **Marquise de Rochefort:** mother of the girl spoken of and widow of the marshal.

**127** 27. **M. de Sottenville** is the father-in-law of Georges Dandin, in Molière's comedy of that name. The quotation below is from Act I., Scene 4, of the comedy. — The *Georgics* of Vergil was a pastoral poem on the art of husbandry, in four books, and dealt especially with agriculture and the cultivation of bees, vines, and the olive; appeared 30 B.C.

**128** 3. The original text has *anoblit* (for *ennoblit*).

**128** 8. These lines are from Racan's *Bergeries*, V., 1. — The Marquis de Racan (1589–1670), belonged to the school of Malherbe and wrote pastoral dramas, a version of the Psalms, odes, epistles, etc., in fluent and melodious verse.

**128** 20. **du But** was a person left with Mlle de Méri in charge of the Hôtel Carnavalet, the Paris residence of Mme de Sévigné at this time. This famous mansion is still in existence and was inhabited by Mme de Sévigné up to her death. Built in the sixteenth century, some of its sculptured ornaments are attributed to Jean Goujon himself, and it was completed by Mansard (designer of the "Mansard" roof); now a museum.

**129 11. la grâce efficace:** humorous allusion to the controversy on grace, free will, etc., between the Jansenists and Jesuits, immortalized by Pascal's *Lettres Provinciales*.

**129 28.** This year (1680) the Dauphin, eldest son of Louis XIV., married the Princess of Bavaria; she died ten years later.

**129 30. M. de Sottenville:** see previous note.

**130 7.** The little Marquis de Grignan.

**130 9.** The cities of Orléans and of Blois, from which this letter and the preceding one date, have always been historically among the most important provincial French cities. Blois, with its famous château-fortress, was a favorite residence of the kings of France, including Louis XII., Francis I., Henry II. and III., and Charles IX., and here the Guises were murdered in 1588. Orléans, thirty-five miles from Blois and fifty-eight miles from Paris, was the scene of one of the triumphs of Joan of Arc against the English in 1428, and, since the time of Philip of Valois, gave the title of "duke" to a member of the royal family.

**130 13. tourner une affaire:** quotation of an expression habitually used by M. de la Garde, a friend of the family; see previous note.

**130 20.** "News from Denmark": see previous note.

**131 4. le cœur,** etc.: see Molière's *Médecin malgré Lui*, Act II., Scene 6, in which "Doctor" Sganarelle asserts that the heart is on the *right* side, and, being corrected, adds: "Oui, cela était autrefois ainsi: mais nous avons changé tout cela," an oft-quoted passage.

**131 12.** At Livry, the tranquil and charming place where the Sévignés passed so much time, there were two especial walks fancifully named *l'humeur de ma mère* and *l'humeur de ma fille*, in which mother and daughter took exercise according to the mood (*humeur*), bright or sombre, of the moment. The daughter was of a rather sombre temper.

**131 18.** Translated from the Italian of J. F. de Conestaggio, a noble Genoese of the household of Philippe III.; printed at Genoa in 1585.

**131 21.** This king was Sebastian I., who died in battle against the Moors in 1578. The kingdoms of Spain and Portugal were shortly after united under Philip II.

**131 23.** This **Abdalla** (Muley Mohammed al Monthaser), sovereign of Fez and Morocco, being dispossessed by his uncle, had called in the help of Sebastian.

**131 23.** The **oncle de Zaïde** refers to a character in the romance of *Zayde* written by Mme de La Fayette and Segrais (1670–1671). There is no *Zaïde* in the *Réunion du Portugal*.

**131 32.** An **ex voto** (*in accordance with a vow*) is a gift of thanksgiving deposited or hung up in a church after escape from shipwreck, disease, dangers, etc., sometimes representing the disease, etc., itself in precious metal.

**131 33.** The river **Durance,** often mentioned in the letters, was particularly detested by Mme de Sévigné.

**132 14. Tours** is a flourishing and ancient manufacturing centre on the Loire, sixty-five miles southwest of Orléans; famous for its pure French, fine bridge and cathedral, and educational facilities. Near by is the scene of Walter Scott's *Quentin Durward.*

**132 26.** The Duchesse de Fontanges had, by her beauty, inspired a passing passion in Louis XIV., and was liked even by Mme de Montespan.

**132 27.** The Chevalier de Grignan.

**133 1.** In her carriage journey from Paris to Nantes, Mme de Sévigné stops at Saumur on the Loire, a small town between Tours and Nantes (famous for the Edict of Toleration to Protestants issued by Henri IV. in 1589 and revoked by Louis XIV. a few years after this letter was written).

**134 24.** Descartes' well-known *Cogito, ergo sum* (*Discours de la Méthode,* IV.).

**134 28. Ingrande:** a little town on the Loire, a few leagues southwest of Angers.

**135 6.** The **Comte des Chapelles** was the son of François de Rosmadec, and was condemned and executed according to a decree of 1627. He was closely connected with the Sévignés.

**135 12. Dans le chapelet:** saying his beads.

**135 18.** Mme de Grignan had several times embarked at Roanne on the way from Lyons to Paris.

**135 20. Monsieur d'Angers:** Henri Arnauld, bishop of Angers, and brother of Arnauld d'Andilly and of "the great Antoine Arnauld." He was now making his pastoral visit, and was distinguished for his vivacity and intellectual gifts. See note on Port-Royal.

**135 26.** Reference to a little poem written by Coulanges on a theme suggested by one of La Fontaine's *Contes* (Book I., 3).

**135 33.** Italian; *half the courtesy would suffice.*

**136 1.** The tower of the Castle of Nantes, where Cardinal de Retz was confined in 1654, escaping shortly after.

**136 3.** Mme de Sévigné seems to hint that the cardinal died a violent death, but he in fact died of pernicious fever after copious ill-judged bleedings called for by the medical ignorance of the day.

**136 8. d'Harouys:** see previous note.

**136 9.** The **Marquis de Molac** was governor of Nantes and second lieutenant-general of Brittany.

**137** 20.    Superintendent of the work going on at the Hôtel Carnavalet.

**137** 25.    **Entrecasteaux**: an estate and château belonging to Comte de Grignan.

**138** 22.    **Pauline** de Grignan, later Marquise de Simiane.

**138** 25.    **la Rouvière** was a physician of Aix.

**138** 25.    **Mme de Thianges'** brother was the Duc de Vivonne, general of the galleys, marshal of France, brother of Mme de Montespan.

**138** 27.    **Trimont de Cabrières**: prior of St. Geniez de Malgoirez, nicknamed *le médecin forcé* by Mme de Sévigné, from Molière's *Médecin malgré Lui*, because it was said that he cured Mlle de Fontariges.

**138** 29.    **fagot** is used in several French proverbs. The text alludes to Molière's "il y a *fagots* et *fagots ;* mais pour ceux que je fais," etc. (*Médecin malgré Lui*, Act I., Scene 6), "there are people *and* people" = "not everybody is alike."

**138** 33.    Some improvements and repairs were going on at the Hôtel Carnavalet about which Mme de Grignan allusively quotes Vergil's *pendent opera interrupta* (*Æneid*, IV., 88), in which the poet describes the interruption of the building of Carthage and the passion of Dido for Æneas.

**139** 10.    Between this and the last letter nearly ten years have elapsed, during which Mme de Sévigné and her friends exchanged about four hundred letters. The daughter writes to M. de Coulanges from the château of Grignan, describing the delight of having her mother with her.

**139** 15.    **Niquée** in her glory (*Amadis de Gaule*, Chap. XXIV. See previous note.).

**139** 19.    The **Duc de Chaulnes** was governor of Brittany, ambassador to Rome, etc.

**139** 23.    Upon the delay of the expected bulls Coulanges had written a humorous poem in five couplets, one of which was :

> Et nous n'aurons qu'en chanson
> Des bulles.

**139** 26.    Mme de Grignan belonged to the Cartesian "sect," which held peculiar views about the souls of animals. Says la Fontaine, Descartes pretended

> Que la bête est une machine,
> Qu'en elle tout se fait sans choix et par ressorts :
> Nul sentiment, point d'amour ; en elle tout est corps.
>
> — Fable I., Book X.

**140** 6.    The **Hôtel de Chaulnes** was at the corner of the Place Royale.

**140** 9.    **Mme de Coulanges** was Marie-Angélique du Gué, wife of

Philippe-Emmanuel de Coulanges, master of petitions, to whom this letter is addressed, and first cousin of Mme de Sévigné. The Coulanges had moved from the Parc Royal to the Temple, in another part of Paris, where the lady had leased apartments for thirty-five years (line 16, below).

**140** 12.   The Cardinal de Bouillon was brother of the duke and nephew of Turenne.

**140** 13.   The two brothers **Vendôme** were Louis-Joseph, Duc de Vendôme, great-grandson of Henri IV., and the Chevalier Philippe de Vendôme. The former was governor of Provence.

**140** 20.   Philippe-Julien Mazarini Mancini, Duc de Nevers, married to Mlle de Thianges, an intimate friend at Rome of Coulanges.

**141** 33.   The Marquis de Seignelai was the eldest son of the great finance minister, Colbert.

**141** 2.   This **Mme de Seignelai** was the second wife of the preceding, afterwards marrying Comte de Marsan.

**141** 9.   Comte de Sanzei, who afterwards became colonel and then brigadier.

**141** 17.   *Pray for us*, often used in Catholic prayers; here allusion to what Coulanges called his "litany," an enumeration in his letters of all the persons that visited Grignan. — Mme de Sévigné's postscript to this letter is omitted.

**141** 18.   Letter 1451 possesses the peculiar interest of being the last remaining bit of Mme de Sévigné's interesting correspondence. First published in Fréron's *Année Littéraire*, Vol. IV., pp. 272–274; in 1768 it was preceded by the following note: "All the letters of Mme de Sévigné, Mme de Grignan, her daughter, and some other illustrious persons of the last reign, have not seen the light. Some are still preserved in portfolios." The admirable labors of M. Monmerqué and M. Mesnard, assisted by others, have now given to France and the world the *Lettres de Madame de Sévigné, de sa Famille, et de ses Amis,* in fourteen octavo volumes, richly annotated and accompanied by a biographical notice, a lexicon of Sévignéan usage, portraits, views, facsimiles, etc., — a perfect treasure-house of literary and historical lore, on which the present editor has constantly drawn.   Mme de Sévigné died in 1696, at Grignan, the year of this letter, and was followed nine years later by her daughter.   See next letter.

**141** 20.   The Marquis de Blanchefort was the son of the Maréchal de Créquy and grandson of Mme du Plessis Bellière.

**142** 9.   The Marquise de Vins, sister of Mme de Pompone and a devoted friend of the Sévignés, had lost her only son.

**142** 12.   Elisabeth d'Orléans, Duchesse d'Alençon and Duchesse de Guise, was the posthumous daughter of Gaston d'Orléans and Marguerite de Lorraine, and sister of the grand-duchess of Tuscany. At her death she insisted on being buried, not at St. Denis, where the kings of France lie buried, but in the convent of the Carmelites.

**142 14.** Comte de Saint-Géran was grandson of Marshal de Saint-Géran.

**142 17. Mme de Miramion** was superior and foundress of the community of the Daughters of Ste. Geneviève ; died in 1696.

**142 20.** The Benedictine abbey of St. Martin at Pontoise.

**142 21.** Charles de Lorraine, Comte de Marsan and his first wife, Marquise Marie d'Albret, Comtesse de Marsan. He married later Mme de Seignelai.

**142 27. De Moulceau,** or **Monceaux** was president of the Chamber of Accounts of Montpellier and an intimate friend and correspondent of the Grignan-Sévigné family.

**143 5.** An entry in the records of the collegiate church of Saint Sauveur at Grignan fixes the date of Mme de Sévigné's funeral as April 18, 1696, "deceased the preceding day supplied with all the sacraments, aged about 70." She was buried in the family vault of the Grignans.

**143 8.** The é in **perdé-je** is not inflectional but euphonic.

**144 1.** For Simon Arnauld, Marquis de Pompone, the devoted friend of the Sévignés, see previous note.

> " Marie de Rabutin,
> Marquise de Sévigné,
> Fille du Baron de Chantal,
> Femme d'un génie extraordinaire
> Et d'une solide Vertu,
> Compatibles avec beaucoup d'agréments."

(Written by Bussy-Rabutin under Mme de Sévigné's picture.)

ANNOUNCEMENTS

# INTERNATIONAL
# MODERN LANGUAGE SERIES

## FRENCH

| | List price | Mailing price |
|---|---|---|
| About: La Mère de la Marquise et La Fille du Chanoine (Super) | $0.50 | $0.55 |
| Aldrich and Foster: French Reader | .50 | .55 |
| Augier: La Pierre de Touche (Harper) | .45 | .50 |
| Boileau-Despreaux: Dialogue, Les Héros de Roman (Crane) | .75 | .85 |
| Bourget: Extraits Choisis (Van Daell) | .50 | .55 |
| Colin: Contes et Saynètes | .40 | .45 |
| Corneille: Polyeucte, Martyr (Henning) | .45 | .50 |
| Daudet: La Belle-Nivernaise (Freeborn) | .25 | .30 |
| Daudet: Le Nabab (Wells) | .50 | .55 |
| Daudet: Morceaux Choisis (Freeborn) | .50 | .55 |
| Erckmann-Chatrian: Madame Thérèse (Rollins) | .50 | .55 |
| Féval: La Fée des Grèves (Hawtrey) | .60 | .65 |
| Fortier: Napoléon: Extraits de Mémoires et d'Histoires | .35 | .40 |
| Guerlac: Selections from Standard French Authors | .50 | .55 |
| Herdler: Scientific French Reader | .60 | .65 |
| Hugo: Notre-Dame de Paris (Wightman) | .80 | .85 |
| Hugo: Quatrevingt-Treize (Boïelle) | .60 | .65 |
| Jaques: Intermediate French | .40 | .45 |
| Josselyn and Talbot: Elementary Reader of French History | .30 | .35 |
| Labiche: La Grammaire and Le Baron de Fourchevif (Piatt) | .35 | .40 |
| Labiche and Martin: Le Voyage de M. Perrichon (Spiers) | .30 | .35 |
| La Fayette, Mme. de: La Princesse de Clèves (Sledd and Gorrell) | .45 | .50 |
| La Fontaine: One Hundred Fables (Super) | .40 | .45 |
| Lazare: Contes et Nouvelles | | |
| First Series | .35 | .40 |
| Second Series | .35 | .40 |
| Lazare: Elementary French Composition | .35 | .40 |
| Lazare: Lectures Faciles pour les Commençants | .30 | .35 |
| Lazare: Les Plus Jolis Contes de Fées | .35 | .40 |
| Lazare: Premières Lectures en Prose et en Vers | .35 | .40 |
| Legouvé and Labiche: La Cigale chez les Fourmis (Van Daell) | .20 | .25 |

# GINN AND COMPANY PUBLISHERS

# INTERNATIONAL
# MODERN LANGUAGE SERIES

## FRENCH — *continued*

| | List price | Mailing price |
|---|---|---|
| Lemaître : Morceaux Choisis (Mellé) | $0.75 | $0.80 |
| Leune : Difficult Modern French | .60 | .65 |
| Luquiens : Places and Peoples | .50 | .55 |
| Luquiens : Popular Science | .60 | .65 |
| De Maistre : Les Prisonniers du Caucase (Robson) | .30 | .35 |
| Marique and Gilson : Exercises in French Composition | .40 | .45 |
| Maupassant : Ten Short Stories (Schinz) | .40 | .45 |
| Meilhac and Halévy : L'Été de la Saint-Martin ; Labiche : La Lettre Chargée ; d'Hervilly : Vent d'Ouest (House) | .35 | .40 |
| Mellé : Contemporary French Writers | .50 | .55 |
| Mérimée : Carmen and Other Stories (Manley) | .60 | .65 |
| Mérimée : Colomba (Schinz) | .40 | .45 |
| Michelet : La Prise de la Bastille (Luquiens) | .20 | .25 |
| Moireau : La Guerre de l'Indépendance en Amérique (Van Daell) | .20 | .25 |
| Molière : L'Avare | .40 | .45 |
| Molière : Le Malade Imaginaire (Olmsted) | .50 | .55 |
| Molière : Le Misantrope (Bôcher) | .20 | .25 |
| Molière : Les Précieuses Ridicules (Davis) | .50 | .55 |
| Montaigne : De l'Institution des Enfans (Bôcher) | .20 | .25 |
| Musset, Alfred de : Selections (Kuhns) | .60 | .65 |
| Pailleron : Le Monde où l'on s'ennuie (Price) | .40 | .45 |
| Paris : Chanson de Roland, Extraits de la | .50 | .55 |
| Potter : Dix Contes Modernes | .30 | .35 |
| Racine : Andromaque (Bôcher) | .20 | .25 |
| Renard : Trois Contes de Noël (Meylan) | .15 | .17 |
| Rostand : Les Romanesques (Le Daum) | .35 | .40 |
| Rotrou : Saint Genest and Venceslas (Crane) | 1.00 | 1.10 |
| Sainte-Beuve : Selected Essays (Effinger) | .35 | .40 |
| Sand : La Famille de Germandre (Kimball) | .30 | .35 |
| Sand : La Mare au Diable (Gregor) | .35 | .40 |
| Sévigné, Madame de : Letters of (Harrison) | .50 | .55 |
| Van Daell : Introduction to French Authors | .50 | .55 |
| Van Daell : Introduction to the French Language | 1.00 | 1.10 |
| Van Steenderen : French Exercises | .15 | .20 |

# GINN AND COMPANY Publishers

# INTERNATIONAL
# MODERN LANGUAGE SERIES

## GERMAN

| | List price |
|---|---|
| Auerbach: Brigitta (Gore) . . . . . . . . . . . . | $0.40 |
| Baumbach: Märchen und Gedichte . . . . . . . . . | .45 |
| Baumbach: Der Schwiegersohn (Hulme) . . . . . . | .40 |
| Bernhardt: Krieg und Frieden . . . . . . . . . . . | .35 |
| Carruth: German Reader . . . . . . . . . . . | .50 |
| Dippold: Scientific German Reader (Revised Edition) . . . | .75 |
| Du Bois-Reymond: Wissenschaftliche Vorträge (Gore) . . . | .40 |
| Eckstein: Der Besuch im Karzer, and Wildenbruch: Das edle Blut (Sanborn) . . . . . . . . . . . . . . | .50 |
| Ernst: Flachsmann als Erzieher (Kingsbury) . . . . . . | .40 |
| Ford: Elementary German for Sight Translation . . . . . . | .25 |
| Fossler: Practical German Conversation . . . . . . . | .60 |
| Frenssen: Gravelotte (Heller) . . . . . . . . . . . | .25 |
| Freytag: Die Journalisten (Gregor) . . . . . . . . . | .45 |
| Freytag: Doktor Luther (Goodrich) . . . . . . . . . | .45 |
| Freytag: Soll und Haben (Bultmann) . . . . . . . . | .50 |
| Fulda: Das verlorene Paradies (Grummann) . . . . . . | .45 |
| Gerstäcker: Germelshausen (Lovelace) . . . . . . . . | .30 |
| Goethe: Egmont (Winkler) . . . . . . . . . . . | .60 |
| Goethe: Götz von Berlichingen mit der eisernen Hand (Hildner) | .80 |
| Goethe: Hermann und Dorothea (Allen) . . . . . . . | .60 |
| Goethe: Iphigenie auf Tauris (Allen) . . . . . . . . | .60 |
| Goethe: Torquato Tasso (Coar) . . . . . . . . . | .80 |
| Grandgent: German and English Sounds . . . . . . . | .50 |
| Grillparzer: Sappho (Ferrell) . . . . . . . . . . | .45 |
| Hauff: Tales (Goold) . . . . . . . . . . . . | .50 |
| Heine: Die Harzreise, with Selections from his Best Known Poems (Gregor) . . . . . . . . . . . . . . | .40 |
| Heine: Poems (Eggert) . . . . . . . . . . . . | .60 |
| Heyse: Anfang und Ende (Busse) . . . . . . . . . | .35 |
| Hillern: Höher als die Kirche (Eastman) . . . . . . . | .30 |
| Keller: Dietegen (Gruener) . . . . . . . . . . | .25 |
| Kleist: Prinz Friedrich von Homburg (Nollen) . . . . . | .50 |
| Lessing: Emilia Galotti (Poll) . . . . . . . . . . | .50 |
| Lessing: Minna von Barnhelm (Minckwitz and Wilder) . . . | .45 |
| Luther: Deutschen Schriften, Auswahl aus (Carruth) . . . | .80 |
| Manley and Allen: Four German Comedies . . . . . . . | .45 |
| Meyer: Der Schuss von der Kanzel (Haertel) . . . . . . | .35 |
| Minckwitz and Unwerth: Edelsteine . . . . . . . . . | .35 |

# GINN AND COMPANY Publishers

# INTERNATIONAL
# MODERN LANGUAGE SERIES

## GERMAN — *continued*

|  | List price |
|---|---|
| Mueller: Deutsche Gedichte | $0.40 |
| Müller: Deutsche Liebe (Johnston) | .45 |
| Niese: Aus dänischer Zeit, Selections from (Fossler) | .35 |
| Riehl: Burg Neideck (Wilson) | .25 |
| Riehl: Der Fluch der Schönheit (Leonard) | .40 |
| Riehl: Die vierzehn Nothelfer (Raschen) | .25 |
| Rosegger: Waldheimat, Selections from (Fossler) | .35 |
| Scheffel: Der Trompeter von Säkkingen (Sanborn) | .90 |
| Schiller: Jungfrau von Orleans (Allen) | .70 |
| Schiller: Maria Stuart (Nollen) | .75 |
| Schiller and Goethe: Correspondence (Selections) (Robertson) | .60 |
| Schücking: Die drei Freier (Heller) | .30 |
| Seeligmann: Altes und Neues | .35 |
| Seume: Mein Leben (Senger) | .40 |
| Storm: Der Schimmelreiter (MacGillivray and Williamson) | .70 |
| Storm: Geschichten aus der Tonne (Brusie) | .35 |
| Storm: Immensee (Minckwitz and Wilder) | .30 |
| Storm: In St. Jürgen (Beckmann) | .35 |
| Super: Elementary German Reader | .40 |
| Thiergen: Am deutschen Herde (Cutting) | .50 |
| Van Daell: Preparatory German Reader | .40 |
| Volkmann-Leander: Die Träumereien an französischen Kaminen (Jonas and Weeden) | .40 |
| Von Sybel: Die Erhebung Europas gegen Napoleon I (Nichols) | .40 |
| Zschokke: Der zerbrochene Krug (Sanborn) | .25 |

## SPANISH

| | |
|---|---|
| Alarcón: Novelas Cortas (Giese) | .90 |
| Becquer: Legends, Tales, and Poems (Olmsted) | 1.00 |
| Esrich: Fortuna, and El Placer de No Hacer Nada (Gray) | .50 |
| Galdós: Doña Perfecta (Marsh) | 1.00 |
| Gil y Zárate: Guzmán el Bueno (Primer) | .75 |
| Moratín: El Sí de las Niñas (Ford) | .50 |
| Pereda: Pedro Sánchez (Bassett) | 1.00 |
| Valera: El Pájaro Verde (Brownell) | .40 |

82½

# GINN AND COMPANY Publishers

Dimanche — Sun.
lundi — Mon.
mardi — Tues.
mercredi — Wed
jeudi — Thurs.
Vendredi — Fri.
samedi — Sat.


style of M$^{me}$ de S,

_____

Beaumarchais

Le Barbier de Seville

20 century edition



?